日本文化における時間と空間

Kato Shuichi
加藤周一

日本文化における時間と空間

岩波書店

目　次

第二部　空　間

目次

装丁＝間村俊一

はじめに

「今＝ここ」に生きる

日本の諺言に「過去は水に流す」という。過ぎ去った争いは早く忘れ、過ちはいつまでも追及しない。その方が個人の、または集団の、今日の活動に有利である、という意味である。しかしその事の他面は、個人も集団も過去の行為の責任をとる必要がない、ということを意味する。もちろんそれは程度の問題であり、どういう文化のなかでも過去に遡っての責任追及には限度がある。たとえば刑法に時効があるのは、日本の場合にかぎらない。しかし日本社会においては殊に、現在の生活を円滑にするために、過去に拘《こだわ》らぬことを理想とする傾向が著しい、といえるだろう。争いの決着を法廷でつけるよりも、過去を水に流して和解する方が、争いの性質によっては、便利で、実際的である。しかしたとえば第二次大戦後、しばしば指摘されてきたように、ドイツ社会は「アウシュヴィッツ」を水に流そうとしなかったが、日本社会は

「南京虐殺」を水に流そうとした。その結果、独仏の信頼関係が「回復」されたのに対し、日中国民の間では信頼関係が構築されなかったことは、いうまでもない。

　未来については、「明日は明日の風が吹く」という。おそらくその意味にも二面がある。未来の状況は予測することができないから、明日の心配をするより今日の状況に注意を向けよう、というのが一面である。風向きはどう変るかわからないが、風向き次第で態度を決めよう、というのが、おそらくもう一つの面である。現在の強調と、状況に対する適応能力とが、そこでは示唆されている。さらには状況の変化に超越する原理または価値の不在が、含意されるだろう。たとえば阪神淡路大震災にもよく現れていたように、未来の大地震に対しての備えは貧しいということが一方にあり、起こった震災に対しては市民が冷静に素早く対応するということが他方にある。戦後日本の強い関心は、現在の与えられた枠組のなかでの活動に集中され、未来の変化の可能性には向っていなかった。急激な国際的環境の変化——たとえば占領、米中接近、石油の価格上昇など——は、すべて他力により引き起こされ、全く予想されていなかったから、「ショック」であり、しかし「ショック」に対する反応はしばしば敏捷かつ能率的であった。誰にとっても、どこの国にとっても、先のことはよくわからない。したがって長期計画は失敗することが多いだろう。しかし長期計画の失敗と、長期計画の不在とはちがう。

　日本社会には、そのあらゆる水準において、過去は水に流し、未来はその時の風向きに任せ、現在に生きる強い傾向がある。現在の出来事の意味は、過去の歴史および未来の目標との関係において定義されるのではなく、歴史や目標から独立に、それ自身として決定される。

出来事は当事者の生活空間すなわち特定の集団の内側で起こる。日本で典型的な集団は、長い間、家族およびムラ共同体であったが、いずれの場合にも集団の境界は明瞭で、集団成員の仲間内(insider)に対する態度と、外人《ソトビト》(outsider)に対する行動様式とは、対照的にちがう。すなわち「福は内、鬼は外」である。「福は内」は常に誰もが望むところであろうが、「鬼は外」は必ずしもそうではない。外人は常に鬼であるとはかぎらない。たとえば市民社会は、一般に、家族やムラや企業の小集団にとっての外人が、原則として鬼ではないことを前提として、成り立つ。

「鬼は外」の背景は、おそらく、強い集団帰属意識である。集団は日常的な生活空間であるから、強い集団帰属意識は、当事者にとってその生活の場所＝「ここ」が世界であることを、意味するだろう。鬼は世界の外(異界)に住む。別の言葉でいえば、集団の外部は、内部の延長としてではなく、内部とは異質の、別の価値体系が支配する空間として理解される。関心は集団の内部すなわち「ここ」に集中し、外部すなわち他所《よそ》に及ぶことが少ない。たとえば「盆」に典型的な祖先崇拝の理由も、おそらくは、他界における祖先の霊への関心ではなく、「ここ」の出来事に係わり、毎年「ここ」へ帰って来る霊への関心であろう。

もちろんこのような特徴は、実に多くの伝統的社会に共通していて、日本の家族やムラに特有の意識でも習慣でもない。日本社会が特殊なのは、高度の工業化が伝統的な家族やムラを分解した後にさえも、そこで作り出された意識や習慣(の一部)が、水準を異にする集団や組織に引き継がれ、そのまま生きのびて来たということである。そのことは、所属集団＝「ここ」の強調において著しい。典型的な場合は、会社であり、会社が大きい場合にはその内部での小集団であろう。小集団の内側では大勢順応主義(conformism)への圧力が強く、大勢順応主義は外部の世界との人間的接触を困難にする。

かくして日本では人々が「今＝ここ」に生きているようにみえる。その背景には、時間においては「今」に、空間においては「ここ」に集約される世界観があるだろう。世界観は文化によって異なる。すなわち時間と空間に対する態度、そのイメージや概念は、文化の差を超えて普遍的なものではなく、それぞれの文化に固有の型をもつにちがいない。たとえばユダヤ・キリスト教的世界での歴史的時間の概念は、日本における伝統的な考え方とは鋭くちがい、比較文化的に検討すれば、日本の場合を明らかにするために大いに役立つだろう。しかし第一部で時間を、第二部で空間を詳論する前に、まずは比較の概念的な枠組をあらかじめ簡単に説明しておくのが、便利である。

概念的枠組

一般に二つの出来事を二つの出来事として識別するためには、その間に距離を認めなければならない。距離は時間的であるか、空間的であるか、時空間的であるか、どちらでもないか(距離ゼロ)である。

同じ空間のなかで時間的距離を経験するのは、ムラの外に出ない村人の場合である。二つの出来事は時間的に前後し、ムラの歴史上の事件として認識される(diachronique)。

同じ時間に空間的距離を認めるのは、当方とは別の場所に住む異人と接触した場合の村人の経験である。異人の文化(異文化)が知られる(synchronique)。

時間的および空間的距離が重なってあらわれるのは、旅人の経験においてである。オデュッセウス(Odysseus 英語の Ulysses)は、ある時海上で人魚の歌を聴き、後に故郷へ帰って妻のペネローペと再会する。彼の人魚体験とペネローペ再会は、別の時に別の場所で起こる。二つの出来事は時間的および空間的距離によって隔てられているし、またそうであることが旅の条件でもある。海上のオデュッセウスはその時故郷で何が起こっているかを知ることができない。帰還の後、証言を聞き、資料を集め、みずから歴史上の出来事を再構成し——それは高度に意識的な操作である——、その過去との関係において、貴族たちによる彼の王宮の占拠という現状の意味を理解するのである。

旅は集団的でもあり得る。『出エジプト記』のユダヤの民は、その移動の過程で、特定の時刻と特定の場所で起こる出来事の、彼らにとっての意味を、常に、旅の始点(エジプト)と終点(イスラエル)と関係づけて問う。

時間的にも空間的にも距離が認められなければ、出来事は二つではなく、一つである。同時に同じ場所で、二つの出来事は起こらない。「今＝ここ」の世界は、仲間内の日常的経験であり、そこでは自他の距離が極小化される。

時間は持続と方向として経験され、持続の長さは比較することができる。たとえば「春宵《しゅんしょう》一刻」であり、「命短し」である。また周期的な現象を観察することによって測ることもできる。たとえば周期的な身体の現象の一つは脈搏であり、身体外の自然現象は昼夜の交代や月の満ち欠けであり、また振子の運動である。現象の周期性が正確であればあるほど、測定は正確になる。正確な時間の測定が自然科学の発展に密接に係わることは、周知の通りであるが、ここではその詳細に立ち入らない。ここで問題にするのは、日常的に生きられた時間であり、歴史的な時間(の意識)だからである。

時間の方向性は出来事の前後関係であり、空間に投影すれば、方向をもつ直線であらわされるだろう。殊に歴史的時間については、時間直線の四つの型、すなわち両端の閉じた線分は、始めがあり終りがある有限の時間に対応し、一端が閉じ進行方向が無限に向って開いている直線は、始めがあり終りのない歴史、逆に無限の直線が一点で閉じるのは、始めがなく終りのある歴史に対応する。両方向に無限に延長される直線は、始めもなく終りもない歴史である。始めなく終りない無限の時間は、時計の針のように一定の方向に限りなく循環する円周でもあらわすことができる。循環的な時間が直線的時間と異なるのは、円周を一巡すれば元の位置に戻るということであり、同じ出来事がくり返されるということである。すなわち「永劫回帰」。より日常的に、四季の区別の明瞭な地域——に日本列島は属する——の農業社会では、四季の循環が時間の経過の主要な原型となるだろう。「冬来りなば春遠からじ」。これを歴史の過程に移せば、「驕れる人も久しからず」となる。季節が循環するように、歴史上の栄枯盛衰もまた循環すると考える立場である(循環史観)。

空間は主として長さ(一次元)および広がり(二次元また三次元)として知覚される。空間的長さの測定は、時間的持続を測るよりも、一般に容易である。周期的現象を発見する必要がなく、任意の二点間の距離を単位にとればよい。たとえば一歩の間隔である。より正確には、直線に近い木製または金属製の棒の両端間の距離を単位とすることができる。さらに正確には、棒の長さに影響をあたえる温度その他の外部要因を考慮して補正する。その棒すなわち物指しを、対象にあてがえば、およその長さを知ることができるのである。しかしここでは、時間の測定の場合と同じく、物理的な距離または長さの測定問題に、深入りする必要はない。

文化によって条件づけられた空間の表象を比較検討するために重要な概念は、生活空間(たとえばムラから国家まで)の境界である。境界が物理的および・または心理的に明瞭な場合には、内側の空間(その社会と文化)と外側のそれとが異質で、仲間内(insider)と外人《ソトビト》(outsider)の差別が著しく、外人が境界を越えて内側の共同体の成員になることは稀である。境界が明瞭でなく、閉鎖的でない場合には、内外の空間の異質性は強調されず、仲間内と外人との「コミュニケーション」も比較的容易で、成員の流動性が大きい。比喩的に要約すれば、閉じた境界と開かれた境界がある、といえよう。

境界の内部の空間は、物理的にも、社会的にも、構造化される。構造化は、主としてタテ軸に沿って行われることも、ヨコ軸に沿って行われることもある。もちろんタテ・ヨコの構造化が複雑に絡む場合もある。都市空間や建築的空間の構造については、その左右相称性(symmetry)と非相称性(asymmetry)が重要である。相称性は与えられた空間の全体に係わり、部分の性質には係わらない。したがって相称的構造と非相称的構造とのちがいは、その背景に、全体と部分との関係に対する設計者の態度のちがいをも示唆するだろう。

境界の外部の空間は、必ずしも一様でない。内部から見れば、外部には遠近がある。近い外部、すなわち近傍は、たとえば隣ムラである。そこには私のムラと同じ社会的構造があり、同じ言語と同じ価値や信仰の体系がある。近傍の空間は、内部の空間延長上において、十分に理解することができる。遠い外部はあらゆる点で異質であると考えられ、十分な理解の可能性がはじめからない。したがって内部のムラ人の近傍のムラ人に対する態度と、遠い外部からの訪問者に対する態度は、ほとんど対照的にちがう。殊に日本社会における空間の役割を分析するために、外部の遠近という概念が有用であることは後に詳しく触れるとおりである。

本書の構成

この本は三部から成る。第一部で時間を、第二部で空間を扱い、第三部で時間と空間の相関を論じ、日本文化における時空間についての若干の印象的な話題に及ぶ。第一部および第二部は、それぞれ三章から成る。

第一部第二部ともに各々の第一章では、日本文化を特徴づける時間または空間の概念の原型を、他の文化のそれと比較しながら、古代神話や信仰体系のなかにもとめる。原型は必ずしも歴史的な起源ではなく——それを正確に知ることはきわめて困難である——、その後の歴史的文化のさまざまの領域に一貫してあらわれる時空間の具体的表象の理念型である。

歴史意識については、ここでいう原型が、丸山眞男の「古層」に近い。「古層」は意識の底辺に各時代を通じて存続し――この場合の意識は集団的意識である――、時代によって異なる新しい思想の発展を促進し、制限し、条件づける。[1] しかし理念型としての原型は、「古層」のように実体的な概念ではなく、分析のための概念的な道具であり、歴史意識に限らず、一般に時間の見方、さらには空間に対する態度の全体にも拡大して用いられる。

続く章では、原型の具体的な表現を論じる。文化のあらゆる領域にわたってそうすることはできないから、立ち入って検討するのは、芸術と文学の歴史、そのなかの代表的な作品である。そこでは時間や空間がいかに表現され、いかに扱われてきたか。そのことが第一章の一般的見透しを、証明はしないが、いかに強く支持するか。また逆に具体的な文化現象を分析し、理解するために、第一章の理論が、どの程度に、いかに有効であるか。そういう問題に応えるのが、叙述の目的になるだろう。

要するにそれぞれの第一章は世界観における時空間を、その次の章は芸術・文学におけるその表現を論じる。最後の章は、伝統的な時間または空間に対する態度が、人々の行動様式にどういう影響を及ぼしてきたか、また及ぼしつつあるか、いくつかの特徴的な事例について述べる。はじめの一、二章は「近代」以前の歴史に即するが、第三章では近代日本から現在に及ぶ事例を引く。過去の芸術や文学に典型的にあらわれていた日本文化の基本的な特徴は、今も個人的および集団的なわれわれの行動様式を、日常生活や政治社会のさまざまな領域において、強く条件づけている。過去は現在に生きている、ということになろう。

第三部は、日本文化における時間と空間との関係を扱う。その要点は、全体に対して部分を重視する傾向である。時間における「今」の強調は、時間の全体に対しての部分の自律性(自己完結性)の強調と考えることもできる。したがって空間における「ここ」の重視、さらにはここ＝限られた空間を構造化するのに全体の型よりも部分の質に関心を集中する態度と、呼応するだろう。「全体から部分へ」ではなく、「部分から全体へ」という思考過程の方向性は、「今＝ここ」の文化の基本的な特徴である。

始めなく終りなき歴史的時間の全体を把握することはむずかしい。内外を峻別する境界にかこまれた空間のなかでは、人々が内外を併せての空間の全体に係わることが少ない。かくして全体に対する関心の弱い文化は同時に、部分への強い関心を生みだすのである。そのことが、大陸の文化、殊に仏教の衝撃を受ける前に日本本島において支配的であった世界観、そしてその後も集団的意識の底辺に持続した世界観の此岸性と深く係わることは、いうまでもない。

日本文化のなかで時間と空間を併せて超越するための工夫を作りだしたのは、大陸から輸入された仏教、殊に一三世紀以降の禅宗の神秘主義である。大燈国師の一句が見事に要約しているように、「億劫相別れて須臾《しゅゆ》も離れず、尽日相対して刹那も対せず」である。理論的には、

『正法眼蔵』が詳論するように、「悟り」の眼目は、あらゆる二分法の克服であり(自他、主観と客観、一と多、有と無または常住と寂滅、生死など)、時間的および空間的距離の克服は、その意識の一局面である。

(1) 「歴史意識の〈古層〉」(一九七二)、『丸山眞男集第十巻』、岩波書店、一九九六、三―六四ページ。そこで著者は、『記』・『紀』の「神代」(民族神話)がそのまま「人代」(歴史)に流れこむように叙述されている、という点(神話と歴史の連続性)に注目し、その全体の叙述に一貫する「基底範疇」として「なる」、「つぎ」、「いきほひ」の三つを指摘している。「基底」はすなわち「古層」である。

第一部　時間

第一章　時間の類型

ユダヤ教的時間

始めと終りがある時間、両端の閉じた有限の直線(線分)として表現されるような歴史的時間の表象は、ユダヤ・キリスト教的世界の特徴である。時間は直線上を始めから終りに向い、強い方向性をもって、流れる。その方向は変らず、逆もどりはない。時間線上で起こるすべての出来事は一回限りである。『旧約聖書』は天地創造の神話とともに、世界の終末を述べる。『出エジプト記』が語るイスラエルの歴史は、エジプトから出発して約束の地に終る旅の過程に他ならない。このように始めと終りがある有限の時間については、その全体を考え、見透すことができるから、「神はアダムに、またアブラハムとモーゼに、過去と未来の全体を、その流れと究極の長い時間を示す」のである(1)。

この時間概念はヘレニズムのそれとは対照的にちがう。近代ヨーロッパの歴史意識を生みだしたのは、このユダヤ教的時間であって、ギリシャ的時間ではない。また後述するように日本的時間とも、ほとんどすべての点で鋭く対照的であり、日本文化における時間を論ずるための参照枠組としても重要である。

時間のユダヤ的考え方を要約するのは『出エジプト記』である、とマイケル・ウォルザーは言う(2)。「著しく直線的で、著しく前進的な政治史としての『出エジプト記』は、時間のユダヤ的考え方に永続的な形をあたえるばかりでなく、究極的には、非ユダヤ的な考え方にとっても、「モデル」として役立っている(3)」。

そこで起こる出来事は、一回限りであり、出来事の意味は、その時点(現在)の状況との関係においてではなく、過去および未来の出来事との関係において決まる。「『出エジプト記』のなかで歴史的出来事は一度だけ起こり、その意味は、後をふり返り行先を見る相互関係の体系に由来する」のである(4)。有限の時間は構造化することができる。全体の構造との関係において、個別の出来事(部分)の意味が定まるということである。もし時間が無限の直線ならば、それを構造化することはできず、全体の構造との関係において、いかなる時点(現在)での出来事の意味をも考えることはできないだろう。時間が無限に続く円周上の循環とされる場合には、同じ出来事がくり返される。今年の春は、去年の秋の後であり、今年の秋の前である。出来事の前後関係を語ることはできず、現在の出来事を過去および未来の出来事と関係づけることもできないだろう。始めあり終りある時間直線の上でのみ、過去は水に流すことができず、未来の風はどこへ向って吹くかわからないのではなく、特定の終局へ、「約束の地」へ、すなわち究極の目的へと収斂するのであり、究極の目的こそがそこに到るまでの過程で起こるすべての出来事を意味づけるのである。

かくして直線上を絶えず終点へ向って前進する時間の表象と、「目標へ向う運動としての歴史(5)」という観念とは、きり離すことができない。「イスラエル人の歴史記述は、その関心を、歴史的経過とそこに内在する諸力の学問的な知識にではなく、歴史の目標と歴史的出来事の間の関係に注いだのである(6)」。

しかし時間の非可逆性は、そのまま歴史過程に投影されるわけではない。歴史が目的地または目標に向って進むのは、長期的な大枠においてであって、短期的な細部においてではない。エジプトから脱出したイスラエル人の集団は、追って来るファラオの軍勢を紅海で振り切る。紅海の水が二つに割れて彼らを救うという出来事は、ただ一度だけ起こり、二度と起こり得ない。しかし沙漠を横切る彼らの前途には、あらゆる困難が待っている。水がなく、食物がない。そこで彼らは、前進か後退か、あくまで「約束の地」をめざすかエジプトへ戻るか、の選択に迷う。イスラエル人たちは、受動的に、成り行きに任せて、前進したのではなく、苦しみ、迷い、考えた上で、積極的に、前進を選んだのである。「乳と蜜の流れる国」は、神の約束したものだが、それは無条件ではなく、その他の神々を捨てて唯一の神に奉仕する限りにおいてである。それは神とイスラエル人たちとの間に結ばれた双務的契約であって、彼らの前進は契約の履行であり、引き返してエジプトの神々の元に戻るのは契約の不履行である。後者の場合には神は契約に束縛されない。逆に神が「約束の地」を与えず、約束をまもらなければ、イスラエル人は唯一の神に奉仕する義務を負わないだろう。彼らにとっての選択肢は、要するに神との契約を、契約の履行が極端な困難を伴う場合にも、尊重するかしないかである。別の言葉でいえば、未来に実現するはずの目的(「約束の地」)と、現在の状況の要請(当面の困難からの脱出)との、何れを優先させるか、ということになろう。

選択はいかに行われたか。集団の成員である個人それぞれの自由な意志決定による。その決定に神が神託によって介入することはなく、巫女の告げる「運命」が影響するということもない。また指導者であるモーゼの誘動や説得がないばかりでなく、彼は個人の意志に集団の圧力が加えられないように慎重な工夫さえもするのである。要するに個人の外部のいかなる力による強制もないという意味で、その意志決定は自由である。個人の自由な決断の集積としての集団の意志が、神との契約と目的地への前進を選ぶのであり、前進はイスラエル人の歴史であるから、彼らは彼ら自身の歴史を作る、ということになる。歴史は与えられた状況の変化ではなく、人間の自由な決断の結果である。

かくして『出エジプト記』はユダヤ・キリスト教的世界において決定的な役割を演じてきた

二つの概念の原型を示している。その一つは、絶えず目標に向って前進する直線的な有限の時間の概念であり、もう一つは、人間が作る歴史という概念、または歴史的人間中心主義である。(7)

古代ギリシャの時間

始めも終りもない無限の時間の表現には、二種類が考えられる。その一つは、一定の方向をもつ直線で、時間はその直線上を無限の過去から無限の未来へ向って流れる。もう一つは、円周上を無限に循環する時間で、円周上の一点における出来事は、特定の時間(周期)が経てばくり返される。後者の典型的な例の一つは、ヘレニズムの時間概念である。

古代ギリシャ人は、宇宙には調和的秩序があり、その秩序は永遠に続くと考えていたらしい。永遠に持続する宇宙的秩序の「モデル」は天球である。地上から観察する天球——空は球のように見える——の天体の配置は、時とともに変るが、一定の時が経てば元の配置にもどる。ピュタゴラス派、ストア学派、プラトン派において、「宇宙の持続は反復であり、永劫回帰(アナクレシス ἀνάχυλησις)である」。ヘレニズムは「時間を周期的なもの、あるいは循環するものとして知解する」のである。(8)

プラトンは宇宙を球体と考え、その「循環する回転運動」を分節して数えれば、それが時間である、と言った。(9) 他方では、時間を測るために最も役立つ道具は天体の運動である、とも言う。[10] アリストテレスも天体の円運動が時間の尺度であることを強調してこう言う。「天球の運動によって他の諸運動は測定されるし、また時間は、この天球の運動を標準として決定される」。このように時間は円運動によって測られるから、「時間そのものが一種の円周を描くものと考えられていた」。しかし運動と時間は同一のものではなく、人間精神によって運動に与えられた数が時間である。[11]

プラトンやアリストテレスが、殊に後者が、時間を論じるのに時間の測定を問題にしたことは、興味深い。古代ギリシャ人たちは天体の円周運動の安定した周期性を道具として、循環的な時間を測った。しかし時間を測るための道具は、安定した周期性であって、必ずしも天上の運動である必要はなく、必ずしも円周運動である必要もない。また測る時間が循環的に流れていようと直線的に流れていようと同じことである。彼らの時間測定に関する命題を、一定の間隔で反復される任意の(天上または地上の)現象こそ時間を測定するための道具である、と読み代えれば、それは一般に時間測定の普遍的な原理に他ならないだろう。[12] 時間の概念についてヘレニズムに特徴的なのは、他の周期的現象ではなく天体の運動に注目したことであり、そこに宇宙全体の構造的秩序を見て、時間そのものが循環すると考えたことである。その考え方によれば、天体の位置のみならずすべての出来事がそれぞれの周期でくり返されるはずで、行く春は一年経てば帰ってくるし、トロイ戦争は——少なくともそれに似た戦争は、いつか遠い未来に再び起こるだろう。それが「永劫回帰」である。

循環する時間の観念は、時間の測定に有効な道具であった。しかし「永劫回帰」の空想は、古代ギリシャのいわゆる歴史家にとって、具体的な人間社会の歴史を叙述するために役立たなかった。トロイ戦争の経過の記述は、はるかに遠い未来に同じような戦争がくり返されるかどうかとは、ほとんど全く関係がない。ヘロドトスは東地中海沿岸のさまざまな地域について、風土や住民や風俗を描き、その過去・現在に及んで、虚実とり混ぜた挿話を語る。それは地誌学的また文化地理学的な知識と伝説の巨大な集成であるが、その全体を同種の出来事の反復という原理が貫いているわけではないし、いわんや『出エジプト記』に見られるような過去・現在・未来の出来事の緊密な関係が明示されているのではない。トゥーキュディデースは、たしかに「過去の出来事や、これに似たことは人間の通有性に従って再び将来にも起こることだ」と言っている[13]。しかしそれは「人間の通有性に従って」であって、必ずしも時間の循環によってではない。彼がペロポネーソス戦争の詳細な記述の到る所に見出したのは、「弱肉強食」という「永遠不変の原則」や「支配欲」という「人間の本性」であって[14]、歴史的時間の循環性や「永劫回帰」ではない。古代ギリシャの「歴史」においてさえもすでに然り、いわんやその後のヨーロッパの歴史意識を決定したのは、ユダヤ・キリスト教の直線的時間であって、ヘレニズムの循環する時間ではなかった。

古代中国の時間

しかし歴史的事件の周期的な反復を主張する立場を循環史観とよぶとすれば、循環史観は古代ギリシャばかりでなく、古代中国にもみられる。たとえば『孟子』は、「五百年必有王者興」と言う(公孫丑第一三、下)。王者は王道を行う者で、「平治天下」を実現する。王道は倫理(仁義)による政治で、力によって統治する覇道に対立する。尭舜の王道の後五百有余歳で殷の湯王が王道を布く。その後五百有余歳で周の文王があらわれ、文王の後五百余歳が孔子である。孔子は王者ではないが、王道を説いた聖人であった。孟子の時代は孔子を隔たること百有余歳にすぎず、王道の再興は数百年の将来に待つ他はない、というのである(尽心第三八、下)。また司馬遷は『史記』のなかで、「三王之道若循環、終而復始」と言った(「高祖本紀」、太史公曰)。「三王」は夏の禹王、殷の湯王、周の文王であり、彼らの道は孟子のいわゆる王道である。王道は終ってもまた始まるから、『史記』の簡潔な文体は、「循環スルガ若シ」の一句をもって要約する。『史記』にはまた「物盛而衰国其変也」(平準書)の語もあり、「其変也」は変化の法則を意味するだろう。盛衰の交代が変化の法則であるとすれば、それもまた一種の循環にちがいない。中国の循環史観がヘレニズムの永劫回帰と異なるのは、それが歴史的時間に限定されていて、天体の運動には係わらないという点である。古代ギリシャの哲学者たちの関心は、宇宙の基本的な秩序の探求に集中していたが、古代中国の思想家たちの関心はほとんど排他的に人間社会に向っていた。『易経』と名家を除けば、諸子百家において然り(たとえば墨子や韓非子)、殊に古代儒教においてはもっとも徹底していたといえるだろう。孔子は怪力乱神を語らず、孟子は決して天上の秩序に触れず、地上の、人間社会の、規範的分析に専念していた。儒教が天上と地上を含む世界の包括的な形而上学として組織されたのは、はるか後に仏教に影響され、仏教に対抗して宋学の理気説が興ってからである。たしかにトゥーキュディデースと司馬遷の循環史観は似ている。偉大な二人の歴史家は、いずれも事実を尊重し、それぞれペロポネーソス戦争の経過と春秋戦国時代の黄河流域における王朝の興亡を描き、歴史的出来事の同じ規型が反復してあらわれることに注意していた。しかし彼らの文化的背景はちがう。トゥーキュディデースの背景には、宇宙的原理としての循環する時間の観念があり、それこそはギリシャ的世界観の中心であった。司馬遷の文化的環境において支配的であった世界観の中心は、宇宙のではなく、人間社会の構造であり、孟子は思弁的にその倫理的規範を論じ、司馬遷は事実に即しながらその歴史的展開を描き、循環史観に及んだのである。

無限の直線上を一定の方法へ流れる時間の概念は、しばしば無限に円周上を循環する時間の概念と、同じ文化のなかで共存する。たとえば古代中国の一方には循環史観があり、他方には天地の間に万物が去来し、光陰は去って再び帰らないという直線的な時間の意識があった。[15]天地(自然)は永遠で、常にそこにある。時間には始めもなく終りもない。しかし万物(すべての個物)はあらわれては消え、人生は反復されない。ある年の桃花園の春夜(時間線上の一刻)さえも一度過ぎれば再びそこへ戻ることはできないだろう。したがってその一刻=「今」が貴重だということになる。[16]

古代中国に天地創造の神話がなかったわけではない(たとえば『山海経』)。しかしそれはあまりに荒唐無稽で、地上的かつ合理的な儒教的世界の知識人たちに何らかの影響を与えたとは考えられない。知的・精神的な中国にとって、天地の始めはなく、したがって時間の始めもなかった。また終末論のなかったことは、いうまでもない。時間は無限の直線であるという考えは、李白ばかりでなく多くの詩人に共有されていたのである。

仏教における時間

仏教は時間をどう考えてきたか。その問題を体系的に論じることは、本書の領域をはるかに越える。ここでは、北インドから中央アジアを通って北中国に到りさらに朝鮮半島と日本列島にまで及んだ大乗仏教について、実に多くの考え方の混在を指摘すれば足りるだろう。周知のように大乗仏教は、すでにインドで民間信仰のさまざまな要素を吸収し、その長い東漸の道程でそれぞれの地域文化の影響を受け、東北アジアで発展した。さまざまの考え方の、必ずしも相互に矛盾しなくはない混在は、おそらくそれらの考え方が異なる文化または信仰体系に由来したからであろう。

第一、そこには「輪廻 saṃsāra」の思想がある。生死は限りなくくり返されるから、時間を無限の循環とみなすこともできるだろう。しかし一つの生と次の生とは必ずしも同じではない。たとえば一つの生において潙山という禅僧であった魂は、次の生では水牯牛の魂になるかもしれない。水牯牛が死ねばその魂はその他の動物または別の人物に転生するだろう。禅僧の生涯と水牯牛の生活はちがう。輪廻転生は必ずしも同じ出来事の反復ではない。たしかに生死は反復されるが、生と死の間に禅僧と水牯牛に起こるすべての出来事は反復されない。反復されない二つの出来事——禅僧と水牯牛の生涯——の関係は業(行為)とその結果、すなわち因果関係である。因果関係が必要とするのは出来事の前後関係であり、前後関係は円周上を循環する時間ではなく、直線上を前進する時間において明瞭である。「輪廻」は半ば循環的、半ば直線的時間を示唆するだろう。

第二、ある時期のある地域(たとえば六朝の北中国)では、ミロク信仰が普及した。ミロクは今天上で瞑想しているが、きわめて遠い未来に地上にあらわれ、一切衆生を救うというのである。すなわちキリスト再臨の信仰に似て、一種の終末論である。仏教は世界と時間の始めについては語らないから、ミロク信仰にあらわれるのは、始めがなく終りのある直線的時間である。

時間は無限の過去から有限の未来へ向う。

第三、唐代の中国にあらわれ、平安朝院政期の日本でも流行した末法思想というものがある。これは一種の仏教史観で、歴史上の人物シャカの死を起点とし、その後の歴史的時間を三期に分ける。第一期はシャカの正しい教え(正法)の行われた時代、第二期はそれに近い教え(像法)の伝えられた時代、第三期は仏法の衰微した末法の時代である。第一期は五百年とする説と千年とする説がある。第二期は千年、第三期は万年である。日本で流行したのは第一期千年説で、正法と像法の時代を併せて二千年、シャカの没年を定めれば、末法の始めを確定することができる(一〇五二年)。時あたかも平安朝末期の政治社会的危機に当っていたから、末法思想は急速に広く浸透した(17)。

もちろんシャカとともに世界が始まったのではなく、時間が始まったのでもない。しかし強く仏教的な立場からみた歴史にとって、シャカ以前の過去は重要ではない。それは、強くイスラーム的な立場からは、マホメット以前の歴史が重要でないのと同じことである。イスラーム暦が西暦六二二年、マホメットがメッカからメディナに移った年を元年とするように、仏教的な歴史はシャカから始まったと考えることができる。他方、末法の時代が一万年ということは、人間社会の歴史としてはほとんど無限というのに近いだろう。末法思想が含意するのは、始めがあって終りがない歴史的時間である。ミロク終末論の、始めがなく終りがある時間とは対称的である。

終末論は仏教の体系と密接だが、無限の直線上の一点から「真の」歴史が始まるとする考え方は、必ずしも宗教的体系を前提としない。たとえば一つの政治体制は、その創業者(founding father(s))に始まりそれ自身が永久に続く歴史を、想像するだろう。一つの文明はある時点から始まりその終る時が来るのをあらかじめ自覚しない。「文明は今やみずから命に限りがあることを知っている」(18)というのは、むしろ例外である。末法思想の歴史観も、その終りについては語らない。末法の時代は一万年、ほとんど半永久的に続く。しかしそれは堕落の過程であり、時とともに状況の悪化する過程である。王朝が栄え、文明が進歩する未来が続くのではなく、仏法の衰える未来がいつまでも続くのである。すなわち末法思想は反進歩主義――非進歩主義ではない――である。

第四、仏教にはまた時空間を「空《くう》なるもの」とする考え方もある。時間的および空間的距離は現実の一つの現れ方にすぎない。もう一つの現れ方は宇宙の一体性である。現実は距離(差別)としてみることもできるし、一体(唯一なるもの)としてみることもできる。万物は一であり、一は万物である。過去・現在・未来は永遠の今であり、永遠の今は過去・現在・未来である。この考え方は、歴史的時間の概念の一つの類型ではなく、時間そのものの超越である。そのことには後に触れるだろう。

このように時間の、殊に歴史的時間の概念は、文化によって異なる。その概念にはいくつかの類型があり、第一は、始めあり終りある線分上を前進する時間、第二は、円周上を無限に循環する時間、第三は、無限の直線上を一定方向へ流れる時間、第四は、始めなく終りのある時間、第五は、始めあり終りのない時間である。第四と第五の類型は、いずれも直線的で、長さは無限である。また文化によっては、特定の時間概念(単数または複数)をもつとともに、時間そのものを超越する精神的工夫を備える。

そこで次の問題は、日本文化にはどういう時間概念があったか、あるいはどういう時間の意識が日本文化のなかに生きていたか、ということである。

『古事記』の時間

日本の神話の最古の系統的記述は、『古事記』にみられる。三巻から成り、上巻がいわゆる「神代記」で、神々の系譜と挿話を述べ、中・下巻が大和朝の伝説的および歴史的な王(天皇)の系譜を年代順に記録する。編纂は朝廷の命令により、八世紀初である(「序」は七一二年完成という。現存する最古の写本は一四世紀)。

「神代記」は「天地《あめつち》初めて発《ひら》けし時」の一句で始まる。「序」には「乾坤初分」とあり、「発《ひら》けし時」は天地の分れた時を意味するだろう。その時、天上に天之御中主神《あめのみなかぬしのかみ》をはじめとして三神が「成った」という。その後も次々に「成れる神の名」を列挙する。これは『旧約聖書』の『創世記』とは著しくちがう。天地の分れる状況は、全く語られていない。しかも天地は「分れた」ので、誰かが「分けた」のではない。天地はそこで創造されたのではなく、一体化していたものが分離したのである。同時に最初の三神が成った。しかしその性質は人の目に見えない(「身を隠したまひき」)ということの他に何もない。その行動も記述されない。現にその次に出現した神々も彼らが生んだのではなく、彼らとは独立に成ったのである。かくして一度成ったアメノミナカヌシは、再び『古事記』の記述にあらわれることがない。「神代記」の冒頭を天地創造の神話とみなすことはできず、そこに時間の出発点を見出すこともできないだろう。そこに反映しているのは、歴史的時間の始まりという意識ではなく、単に無限の時間をさかのぼっての遠い昔という考えにすぎない。大和の王朝は、自らを正統化し、権威づけるために、その起源を遠い昔にさかのぼらなければならないという考えを、大陸から学んだのであろう。

かくして次々に神々が成り、遂にイザナギ、イザナミの男女の神が成る。イザナギとイザナミは交接して、次々に島を生み、「大八《おほや》島国《しまぐに》」(日本列島)を生みだす。これが国土の起源である。その後はさらに多くの神々を生み、生れた神々はまた別の神々を生む。イザナミは火の神を生んだとき、火傷して病み、遂に死ぬが、その身からも多くの神が生じ、イザナギに殺された火の神の屍体からも多数の神が出現する。イザナギはみそぎをして、その左の目を洗うと天照大御神《あまてらすおおみかみ》が成り、右の目を洗うと月読命《つくよみのみこと》が成る。それぞれ太陽神および月神である。太陽神アマテラスはその子孫ニニギノミコトを日本の国土に降下させ、その子孫が伝説的な最初の王、神武天皇となる。アマテラス以後の神々の系譜は、まず伝説的な、さらには歴史的な天皇の系譜にそのまま連続的に引きつがれる。すなわち王朝の起源である。

たしかに『古事記』は国土と王朝の起源を語るが、時間の起源を語るのではない。同じ『古事記』のなかに国土と王朝以前の出来事が記述されているからである。『古事記』の時間には始めがない。王朝の系譜の最後は推古天皇(七世紀初)であるが、それが王朝の終りを意味しないことはいうまでもない。いわんや時間の終り、すなわち終末論を示唆するものは全くない。古代の日本文化が意識した歴史的時間は、始めなく終りない時間直線である。

その後の日本文化に圧倒的な影響をあたえた外来の世界観は、仏教も、儒教も、このような始めなく終りない時間の概念に根本的な変更を迫るものではなかった。仏教に天地開闢の説が全くなかったわけではない。しかし仏教の要点が――それをどう解釈するにしても――、シャカ以前の時間の起点にではなく、シャカ以後の歴史にあったことは、あきらかであろう。またその天地開闢説が日本の文化に広くかつ深い影響をあたえたことはない。北畠親房が『神皇正統記』(初稿一三三九年、改訂一三四三年)に仏説を引いているのは、日本の「神代記」を記述する前提として、天竺・震旦の例にも触れたということにすぎない(19)。そこでも震旦の場合について、

「震旦ハコトニ書契《しょけい》ヲコトトスル国ナレドモ、世界建立ヲ云《いへ》ル事タシカナラズ」[20]という通り、古代儒教はその関心を人間の社会と歴史に集中し、宇宙と時間の起源を問わない。儒教の体系が、後の宋学においてさえも、終末論を含まぬことは、いうまでもない。仏教にはミロク信仰があり、ミロクは歴史の終りにあらわれる、という。それはキリスト再臨信仰と似ていなくもない。しかし先にも触れた通り、ミロクの出現はあまりに遠く、ほとんど無限の彼方の事である。しかも出現したミロクが最後の審判を主宰するわけではないから、その「今＝ここ」の世界との関係は、きわめて薄いのである。一六世紀末にイエズス会士たちがもたらしたキリスト教は、その教義に創世神話と終末論を含んでいた。キリスト教への回心は、歴史的時間の概念の根本的な対決を避けて通れなかったにちがいない。しかしキリスト教が来るのはおそすぎた。朝鮮半島の仏教が出会った古代日本とはちがって、宣教師たちが相手にした一六世紀日本の文化は、はるかに洗錬され、広く行きわたった伝統的構造と価値の体系をすでにもっていた。また宣教師たちの持ち時間は短すぎた。一七世紀初に全国を統一した徳川政権は、すべての宣教活動を禁じ、キリスト教徒を徹底的に弾圧したからである。ユダヤ・キリスト教的時間の概念が日本文化に広く浸透することは、文化的に困難であり、政治的に不可能であった。

　かくして古代日本の神話にあらわれていた始めなく終りのない時間の意識は、日本文化史を通じて、根本的には変ることなく今日に及ぶ。

日本文化の三つの時間

無限の直線としての時間は、分割して構造化することができない。すべての事件は、神話の神々と同じように、時間直線上で、「次々に」生れる。[21] それぞれの事件の現在＝「今」の継起が時間に他ならない。すでに過ぎ去った事件の全体が当面の「今」の意味を決定するのではなく、また来るべき事件の全体が「今」の目標になるのではない。時間の無限の流れは捉え難く、捉え得るのは「今」だけであるから、それぞれの「今」が、時間の軸における現実の中心になるだろう。そこでは人が「今」に生きる。

しかし「今」は瞬間ではない。時間直線上の一点ではなく、状況に応じて、ある場合には短く、ある場合に長い持続が、「今」として意識される。「ながらへば又此のごろやしのばれんうしとみしよぞ今は恋しき」[22] の「今」は「此のごろ」と等価であり、おそらく数年を意味するだろう。「松(待つ)としきかば今かへりこむ」[23] の「今」(今すぐ)は、それよりも短い。どれほどの長さの持続を「今」とするか、一般的な定義を考えることはできない。「今」はゴムのひものように伸縮する。さしあたりは、近い過去と近い未来を含み、その中では考察の対象の大枠が変らず、したがって外挿法(extrapolation)の適用が可能と考えられる範囲、と定義しておくことにしよう。一時代の世の中は、憂《う》しとみえたり、恋しく思われたりする。そういう変化のおこらぬ範囲が一時代であり、「今」の時代である。「今」が収縮すれば、「今かへりこむ」となり、「いまはかうとおもはれければ」(『平家物語』、巻第十一、「能登殿最期」)となり、遂には俳句の一瞬となる。

始めなく終りない歴史的時間は、方向性をもつ直線である。この直線上の事件には先後関係があるが、直線全体の分節化はできない。円周上を循環する自然的時間の場合には、事件の先後関係ばかりでなく、分節をあきらかにすることができる。冬来りなば春遠からじ。日本列島の本島西部と九州——すなわち古代文化の中心であった地域では、四季の区別が明瞭で、規則的であり、その自然の循環する変化が、農耕社会の日常的な時間意識を決定したであろうことは、想像に難くない。日本文化の時間の表象の第二の型は、始めなく終りなく循環する時間である。循環するのは、ヘレニズムの場合のように天体の位置ではなく、季節であり、時間の円周は四季に分節化される。農耕は四季の循環に応じた種まきや草とりや収穫の労働なしには成り立たない。日本の農業の自然的条件は、四季の交替が明瞭でなく一年を通じて高温高湿の東南アジアの条件とは異なるのである(24)。

九世紀以後平安朝の宮廷文化は、季節に敏感な、というよりも敏感であらざるをえなかった生産者=農民の感受性を、全く非生産的な美的領域に移して、洗錬した。『枕草子』は有名な「春はあけぼの」、「夏はよる」、「秋は夕暮」、「冬はつとめて」で始まる。同様に『古今和歌集』

の最初の六巻は四季の歌である。他に恋歌五巻があり、春夏秋冬と恋を併せて全二〇巻の半分を超える。抒情詩の主題が恋に集中するのは、なにも平安朝の日本に限ったことではない。しかし四季に集中するのは、全く例外的であり、中国においてさえもこれほどではなかった。その傾向はすでに『万葉集』にもあらわれていて、それが『古今和歌集』において徹底したのである。しかも四季の変化に対する関心は、平安朝以後さらに強まり、俳諧師たちにとってはほとんど強迫観念となって、周知のように、制度化された「季語」を生むに到った。「季語」は唐天竺になく、おそらく欧州諸国にもない。

四季を中心として循環する時間の概念は、平安朝が洗錬した美的領域を超えて、より抽象的で一般的な時間の意識にも影響したか。それは断定することの困難な問題である。『平家物語』はその冒頭(「祇園精舎」)に、「諸行無常」とならべて「盛者必衰」を言う。これはもちろん仏教的修辞である。しかし鎌倉時代に『平家物語』を聴いた人々は、仏教の影響があろうとなかろうと、「盛者必衰」の事例を思い出すのに苦労はしなかったろう。仏教のおかげでその程の「ことわり」を悟ったのではなく、「盛者必衰」の現実を熟知していたから、仏教的修辞を理解したのにちがいない。春夏秋冬のように、歴史の流れは循環していた。しかも『平家物語』の本文は、その後に続けて、中国古代史のいくつかの事例を引用している。作者は、誰だかわからぬが、先に述べた中国の循環史観をおそらく知っていたかもしれない。

循環する時間という考えは、『平家物語』の後にも、たとえば蕪村の鮮やかな比喩にあらわれていた。「夫《それ》俳諧の活達なるや、実に流行有て実に流行なし、たとはば一円廓に添《そひ》て、人追ふて走るがごとし。先ンずるもの却て後れたるものを追ふに似たり。流行の先後何を以てわかつべけむや」[25]。ここでは円周上を走る人が、時間である。

しかし「諸行無常」の方は、歴史的時間の循環ではなくて、始めあり終りある人生の話である。命短し。これは人間の条件であって、文化によって異なるものではない。文化によって異なるのは、その事実に対する対応の仕方である。たとえば道教は人生を延長して「不老不死」をもとめる。仏教やキリスト教には、死後の魂が「第二の生」に入るとする考え方があり、絶対者と合一する体験を通して生死を超越する神秘主義もある[26]。宗教的立場をとらぬ場合には、人生夢の如しという哀感への没入があり、また人生は短いから現在を愉しめという快楽主義的な態度もある[27]。いずれも古今東西の抒情詩にあらわれていて、日本の場合も例外ではない。

人生は一定方向へ進む有限の直線であるから、分節化される。故に青年といい、中年といい、老年という。一度過ぎ去った一分節は、戻らない。「失われし時」はもとめても、再び生きることはできない。人生の時間は非可逆的な流れであり、同じ事件は二度起こらず、事件相互の関係はしばしば密接で、因果論的であり得る。すなわち無限の歴史的時間とは異なり、人生の経験された有限の時間は構造化される。たとえば、「月やあらぬ春やむかしの春ならぬ我身ひとつはもとの身にして」(在原業平朝臣)は、詩人が今はそこに居ない恋人の旧居を訪ねたときの歌である。主人公の不在は、同じ場所の月も春も別のものに変えてしまう、我身は我身であるが、環境は、すなわち世界は、変り、その変化は非可逆的である。これは、生きられた時間の非可逆性と一回性の、簡潔で正確な表現である、といってよいだろう。

かくして日本文化のなかには、三つの異なる型の時間が共存していた。すなわち始めなく終りない直線＝歴史的時間、始めなく終りない円周上の循環＝日常的時間、始めがあり終りがある人生の普遍的時間である。そしてその三つの時間のどれもが、「今」に生きることの強調へ向うのである。

(1)《God shows Adam — but also Abraham and Moses — the entire past and future, the current and the final aeon.》Gershom Scholem, *The Messianic Idea in Judaism and Other Essays on Jewish Spirituality*, Schocken Books, New York, 1971. p. 5.

(2) Michael Walzer, *Exodus and Revolution*, Basic Books Inc., New York, 1985.

(3)《A political history with a strong linearity, a strong forward movement, the Exodus gives permanent shore to Jewish conceptions of time, and it serves as a model, ultimately, for non conceptions too》. Walzer, *Ibid.*, p. 12.

(4)《In Exodus history events occur only once, and they take on their significance from a system of backward-and forward-booking interconnections……》. Walzer, *Ibid.*, p. 13.

（5）《die Geschichte als eine Bewegung zu Zielen hin》. Rudolf Bultmann, *Das Ur-Christentum*, Artemis Verlag. Zürich und München, 1949(5. Auflage 1986), p. 18.

（6）《die israelitische Geschichteschreibung nicht an der wissenschaftlichen Erkenntnis des geschichtlichen Verlaufs und der ihm immanenten Kräften interessiert war, sondern am Verhältnis der geschichtlichen Vorgänge zum Ziel der Geschichte.》 Bultmann, *Ibid.*, p. 19.

（7）歴史の究極の目標は理想郷(utopia)でもあり得る。西洋思想史にあらわれる多様な utopianism は、一九世紀ドイツのヘーゲル的・マルクス的歴史主義に到るまで、「目標へ向う運動としての歴史」(ブルトマン、前掲書)の典型的な表現であろう。この理想郷は歴史的目標であるという点で、道教的中国の蓬萊山や神仙郷と異なる。道教の理想郷を「今＝ここ」の現実から隔てるのは、時間的距離ではなくて、空間的距離である。

歴史的な「進歩」の概念が、歴史の目標を前提とすることも、あきらかである。直線的な「進歩」の各段階は、目標からの距離によって定義される。目標がなければ「進歩」の概念は成立しない。

『旧約聖書』の人間中心主義は、たとえばマルク・シャガールがイスラエルの教会の窓焼絵ガラスのために作った図案にも、実に鮮やかに反映している。各々の窓に『聖書』の一場面が割り当てられていて、その一つに大洪水とノアの方舟の場面がある。その場面をどう扱うか。窓の枠は縦長で、中国の掛軸を拡大したようなものである。宋元の水墨画ならば、縹渺たる水がその全体に広がって天際に及び、ただ一点の孤舟を泛《うか》べる、その舳に立つ小さな人物がノアであるかないかは看る人の想像に任せるということになろう。しかるにシャガールは画面の枠一ぱいに巨大な人物を描く。その足もとのわずかな余白に水と方舟があって、その人物がノアであることを説明する。なぜならシャガールにとって歴史的事件の要点は、大洪水でも、自然災害でも、あたえられた状況と風景でもなくて、それに対して行動する人間だからである。たとえ神の指示を受けたにしても(恩寵)、ノアは自発的にその指示に従って行動する(自由意志)。彼の自由が歴史を作るのである。

　人間中心主義はもちろんユダヤ教に固有なものではない。ヘレニズムの特徴もまた人間中心主義である。しかしヘレニスティックな人間中心主義は歴史的文脈のなかにあらわれるのではない。オリュムポスの神々は、その姿においても行動様式においても、「人間的、あまりに人間的」であるが、神々は永遠の存在で、歴史内存在ではない。ユダヤ教の歴史的人間中心主義においては、歴史内存在である人間が、歴史超越的な神を媒介として、歴史によって条件づけられると同時に歴史を作るのである。二つの人間中心主義の相関とその西洋史上での発展(聖トマスからエラスムスまで)については、ここで立ち入ることができない。

（8）エラノス会議編『時の現象学Ⅰ』(神谷幹夫訳)、平凡社、一九九〇、二五―一二三ページ。アンリ―シャルル・ピュエシュ(Henr-Charles Puech. 1902–1986)の論文。原著は“La gnose et le temps” in *Proceedings of the 7th Congress for the History of Religions*, Amsterdam, 1951 及び *Enquête de la Gnose*, Paris, Gallimard, 1978.

（9）「循環する回転運動」のフランス語訳は、《un mouvement de rotation circulaire》である。TIMÉE, *Platon Oeuvres complètes*, Traduction mouvelle et motes par Léon Robin avec la collaboration de M. J. Moreau, Collection de la Pleiade, Tome II, Gallimard, Paris, 1950, p. 452. TIMÉE(ティマイオス)の訳註担当は、協力者モロオ氏である。

(10) Léon Robin, *La Pensée Grecque et les origines de l'esprit scientifique*, La Renaissance du Livre, Paris, 1932. p. 276.

(11) 「自然学 physis」の「第四巻、場所と時間について」(森進一訳)、『世界古典文学全集16　アリストテレス』、筑摩書房、一九九六、四一六ページ。

(12) 詳しくは、たとえば Rudolf Carnap, *An Introduction to the Philosophy of Science*, Basic Books, New York, 1974.

(13) 『世界古典文学全集11　トゥーキュディデース』(小西晴夫訳)、筑摩書房、一九七一、一二ページ(第一巻、二二)。

(14) 前掲書、二九ページ(第一巻、七六)。

(15) 「天地者万物之逆旅也、光陰者百代之過客也」。李白「春夜宴従弟桃花園序」より。

(16) 「古人秉燭夜遊、良有以也」、李白、右に同じ。直線的時間の「今」は反復されず、故に貴重であるということから、どういう結論を抽きだすかは、その人により、その場合による。「燭を秉《と》りて夜遊ぶ」のは快楽主義的な李白の、また先には陶淵明の結論である。

(17) 末法の時代への思想的対応は、浄土教の興隆である。浄土教は天台教団の内部で発達し、やがて法然・親鸞の浄土真宗を生みだす。詳しくは、たとえば井上光貞『日本浄土教成立史の研究』、山川出版社、一九五六。

(18) 《Nous autres, civilisations, nous savons maintenant que nous sommes mortelles》, Paul Valéry, "La crise d'esprit"(1919), *Variété*, Gallimard, Paris, 1924 所収。

(19) 「同《おなじ》世界ノ中ナレバ、天地開闢ノ初ハイヅクモカハルベキナラネド、三国ノ説各《おのおの》コトナリ」と『神皇正統記』(「序論」)はいう。引用本文は『日本古典文学大系87 神皇正統記・増鏡』、岩波書店、一九六五。三国は、天竺・震旦・日本。天地の初は三国で変るはずがない、というのは、日本の神話の相対化であり、その意味で画期的な意見である。一八世紀後半に『古事記伝』を作った本居宣長は、北畠親房とは異なり、神話を客観的に相対化し、他の文化の神話と比較し、批判的に評価することがついに出来なかった。しかし三国で変るはずのないものが、事実上それぞれ全く変っているのは何故かという理由を、北畠親房は説明していない。もしその理由を説明しようとすれば、どの神話も事実(歴史)としては信ずるに足りない、という議論になったはずである。すなわち神話と歴史の峻別、非連続性。そうなれば、一八世紀前半の新井白石の『古史通』からも遠くないだろう。白石と北畠親房のちがいは、白石が徳川政権の正統性を弁護する立場にあったのに対し、北畠親房は南朝の正統性を主張しようとしていた、ということに帰するのかもしれない。神話と歴史を切り離して神皇＝神なる天皇の正統性を根拠づけることはむずかしい。

(20) 『神皇正統記』(「序論」)、前掲書、四八ページ。

(21) 『古事記』は、次々にあらわれる神の名を列挙する。先ずアメノミナカヌシノカミ、次に、タカミムスビノカミ、次に、カムムスヒノカミ、次に、……という具合に進む。「次に、次に……」という叙述の方法は『日本書紀』においても大差がない。先の神が後の神を、必ずしも生むのではない。両者の間には、しばしば、何らの因果関係もなく、時間的先後関係だけがあって、それぞれ独立に出現するのである。

(22) 『新古今和歌集』、巻第一八、雑歌下、清輔朝臣。

(23) 「立ちわかれいなばの山の峯におふる松としきかば今かへりこむ」『古今和歌集』、巻第八、離別歌、在原行平朝臣。「いなばの山」は因幡の国の稲羽の山。行平は因幡守となった。

(24) 四季の交替が明瞭なのは、日本の場合だけではない。たとえば西ヨーロッパの場合も同じ。その二つの地域の農耕文化のちがいは、自然的条件のちがいには還元されない。自然的ではない、どういう条件がそこに作用していたか、という問題には、ここで立ち入ることができない。

(25)『日本古典文学全集32　連歌俳諧集』(「牡丹散ての巻　俳諧桃李序」)、小学館、一九七四、五六一ページ。

(26) 生死の超越は、時間と空間の超越でもある。日本文化のなかでは、たとえば禅。詳しくは第三部第二章「脱出と超越」で述べる。

(27) 例をあげればきりがないが、人生は夢か幻か、という感慨は、日本文化に固有でもないし、仏教に特徴的な考えでもない。たとえばヴァルター・フォン・デァ・フォーゲルヴァイデ Walter von der Vogelweide.(一一七〇年頃―一二二八年頃)の詩がある。

Ouwê war sint verschwunden alliu miniu jâr!
ist mir mîn leben getroumet oder ist ez wâr?
おお、すべて私の(生きてきた)年はどこへ行ってしまったのだろう
わが生涯は、夢か、現《うつつ》か。

(*Gedichte. Mittelhochdeutscher Text und Übertragung*, Fischer Bücherei, 1962. p. 109)

この第二行は、そのまま「浮生若夢」(李白「春夜宴従弟桃花園序」)であろう。人生は短い、青春は過ぎ易い、今のうちに愉しんでおけ、という句は、陶淵明にもあるが、ロンサール Ronsard にもある。

盛年不重来　一日難再晨　及時当勉励　歳月不待人

(『陶淵明全集』下、松枝和夫・和田武司訳注、岩波文庫、一九九〇、二五―二六ページ)

ここでいう「勉励」は、人生を、その今を、愉しむことに勉めるのである。

Vivez, si m'en croyez, n'attendez à demain :
Cueillez des aujourd'hui les roses de la vie.
生き給え、私を信じるなら、明日を待たないで、
今から生命《いのち》のバラを摘み給え

(Ronsard, *Poésies choisies II*, Classique Larousse. p. 53)

第二章　時間のさまざまな表現

日本語の特徴

語　順

中国語や近代ヨーロッパ語とくらべて、日本語の特徴の一つは、文の語順である。日本語では動詞(または形容動詞)が原則として文末に来る。たとえば「私は日本人です」、「私は米を食べる」等。「私は」をA、「日本人」または「米」をB、動詞をVとすれば、日本語の語順は、A―B―V、同じ意味の中国語や近代ヨーロッパ語では、A―V―Bであるのと異なる。文末に動詞を置く語順は、もちろん日本語にのみ固有なものではない(たとえば朝鮮語)。近代ヨーロッパ語においてさえ特定の場合には原則である(たとえばドイツ語の、ある種の接続詞や関係代名詞の後に続く副文章)。

語順のちがいは、話し手の、また聞き手の、思考の順序のちがいを反映するだろうか。このように単純で、短い文の場合には、思考の順序のちがいが、少なくとも表面にはあらわれないだろう。「私は米を食べる」という文の論理的内容は「私は米を食べるという性質をもつ」ということである。私(A)のもつ性質をf(A)と書くとすれば、f(A)を叙述するのに「米を食べる」と言っても、「食べる米を」と言っても、話し手や聞き手が、f(A)を直観的に、明瞭に、全体として一時に把握することに変りはないだろう。日常生活において「米」を先に考えるか「食べる」を先に考えるかという問題は生じない。

しかし文が複雑で、長くなると、語順と思考の順序との関係が、強く意識されるようになる。日本語の語順では、修飾語(または句)を被修飾語の前に置く。ヨーロッパ語のように修飾語(または句)を被修飾語の後に置くための文法的手段——名詞の所有格、前置詞、関係代名詞など——は、日本語にはない。今、単純な文、「私は米を食べる」、すなわちA—B—Vのそれぞれに修飾語(または句)を加えるとしよう。修飾語(または句)の内容は、単純な三つの文であらわすことができる。

「私は東京で生れて育った」、「私は米を米屋で買う」、「私は米をほとんど毎日食べる」——この三つの文の内容を、A—B—Vそれぞれの修飾語として、第一の文「私は米を食べる」に加えれば、次の複雑な文となる。

「東京で生れて育った私は　米屋で買う米を　ほとんど毎日食べる」

この文は、第一に、「私は米を食べる」以下四つの単純な命題の内容すべてを含むばかりでなく、第二に、四つの命題相互の関係をも明示する。最初の命題がこの文全体の骨格で、それにつづく三つの命題は、最初の命題の要素A―B―Vそれぞれの細部(detail)である。そのことは四つの単純な文を並列しただけでは、あきらかでない。別の言葉で言えば、個別の四つの命題を総合する最後の文は、全体と部分(または細部)との関係を明示することで、対象を構造化するのである。

しかしこのような総合には限界があり、その限界は、日本語の語順に係わる。「東京で生れて育った云々」という文は、修飾句すなわち細部から始まる、――というよりも始まらざるをえない。それを読みながら、修飾句が何を修飾するのか、「生れて育った」の次には鬼が出るか蛇が出るか、読者にはわからない。鬼にあらず蛇にあらず、もっとおだやかな「私」が出ても、その私が何をする話か、笑ったのか泣いたのか、文末にあらわれる「食べる」まで行かなければわかりようがない。要するに修飾語句が被修飾語に先行し、文末に動詞を置かざるをえない語順の原則は、全体を知る前に細部を読むことを読者に強制する。それでも「東京で生れて育った云々」という文が容易に理解されるのは、第一に、A―B―Vのそれぞれの修飾語句が短いからであり、第二に、内容が日常ありふれた話で、それを理解するために高度の知的努力を必要としないからである。修飾句が長くなればなるほど、また話題が抽象的になり、議論の知的厳密さが必要になればなるほど、このような語順によって条件づけられた文の理解は、それだけ困難になるだろう。全体の骨格を前提としないで細部を理解するのは、むずかしくなるからである。

現にたとえば近代ヨーロッパ語による理論的な文章を日本語に訳す場合の大きな困難の一つは、次のようなものである。ヨーロッパ語の長い文を短い日本語の文に分割して訳せば、わかり易くなるが、短い命題相互の構造的関係は――それこそ原著者が長い文によって明示しようと望んだものであろうが――多かれ少なかれ犠牲にされる。そこで長い原文を分割せず、できるだけその語順を尊重し、どうしてもやむをえない場合にだけ語順を変えて訳せば、わかりにくくなる。その例を挙げれば際限がない。ただ一つ、極端な例を、マックス・ヴェーバーの二つの文章の内田芳明氏訳によって示す。

ところで、ユダヤ民族の宗教的発展が世界史的意義をもつのは、かれらがなかんずく「旧約聖書」を創造したことにもとづくのである。というわけは、パウロの伝道が達成した最重要な精神的業績の一つに属することなのだが、ほかならぬパウロの伝道が、このユダヤ人の聖書となっていたものをキリスト教にとっても一つの神聖なる書物としてキリスト教の側へと救い出しながら、しかもなにしろこのばあい、この旧約聖書のなかに教えこまれている倫理のなかで、ほかならぬパーリア民族状況というユダヤ人に特徴的なる特殊な地位と儀礼的に固く結びついている倫理のあの諸特徴を、救済主キリストが無効を宣言したがゆえに、もはや拘束力なきものとして一切排除した、ということがあったからである。

（『古代ユダヤ教』上、岩波文庫、一九九六、二一一—二一二ページ）

第一の「ユダヤ民族の宗教的発展」で始まる文は、短く、明瞭である。第二の「というわけは」以下の文は、長い原文を分割せず、練達の訳者が実に巧みな工夫を施して訳した日本語文で、おそらくこれ以上は望み得ないだろう。「というわけは……ということがあったからである」は、ドイツ語の原文では《denn》で始まる文である。文末に「からである」を必要とするのは、日本語の特徴。訳文は原文の語順をできるだけ尊重しているが、「ほかならぬパーリア民族状況……」以下傍線部分の修飾句は、原文では関係代名詞を用いて文末に置かれている。ドイツ語の原文がそもそも易しくはない。日本語の語順は、このような長い文、複雑な思考の過程の理解を、さらに困難にするのである(1)。

単純で短い文において、語順は大きな問題ではない。複雑で長い文においては、語順が大きな問題になることがある。長い文は、いくつかの短い文の等価的な並列であるか、主文の要素に修飾語句、殊に長い従属句を加えて、構造化された全体であるか、どちらかである。前者の場合には、長い文の部分相互の関係は弱く、各部分がそれぞれ全体から独立して意味をもつ傾向が著しい(2)。後者の場合には、関係代名詞をもつヨーロッパ語と、それをもたない日本語の語順は異なり、ヨーロッパ語では読者の注意が全体から細部へ向い、日本語では細部から全体へ向う。すなわち従属句の叙述する細部が、日本語では、文の全体から離れてそれ自身を主張するのである。

細部と全体との関係を、時間の軸に投影すれば、細部を、時間の流れ全体のなかでの、それぞれの「今」と考えることができるだろう。文の全体から離れての細部(従属句)の強調は、前後の時間から離れての「今」の強調である。現在の出来事の意味は、自己完結的で、それを理解するために、必ずしも過去や未来の出来事を参照する必要はない。

時制

古典中国語の動詞には時制がない。話題の出来事の時間的な前後関係は、副詞によって指示されるか、文脈から理解されるにすぎない[3]。近代ヨーロッパ語の場合には、動詞の語尾変化や助動詞と動詞の併用により、出来事の過去・現在・未来を、文法的に明示する[4]。日本語の時制については、定説がない。日本語では動詞の後に助動詞を加えて、動詞の意味をさまざまに変えることができる。たとえば断定を推量に、出来事の進行を完了に。問題は動詞の現在を過去に、あるいは未来に変える助動詞の体系があるか、ないかである。少なくともヨーロッパ語のように明示的な体系(すなわち時制)はない。

現代日本語で、「雨が降る」は現在で、「雨が降るだろう」は未来の出来事を意味するとは限らない。もし世にいわゆる「降水確率」が一〇〇パーセントならば、「雨が降る」を未来の出来事に用いることもできる(「明日は必ず雨が降る」)。また「だろう」を現在の出来事についても、過去の出来事についても、言うことがある。「雨が降(ってい)る」「城ヶ島でも降(ってい)るだろう」。話し手は城ヶ島にいないから、城ヶ島の雨については確かでない。昨日の雨についても同じ。「ここでは雨が降った」、「城ヶ島でも降っただろう」。「だろう」は、未来の助動詞ではなく、話し手にとって確かではない事柄を述べる推量の助動詞である。

「だろう」は「である＋う」であるが、助動詞「う」は必ずしも推量だけではない。また「行こう」・「出かけよう」のように、意志や話し相手への誘いを意味する場合もある。推量する出来事は、過去・現在・未来の、どの時間の出来事でもあり得るが、話し相手を何かの行為に誘う場合には、その行為はまだ始まっていない。行為がおこるのは未来である。しかしその行為への誘いは現在のことである。「う」は誘いの助動詞であって、未来の助動詞ではない。「行こう」・「出かけよう」・「そろそろ出かけましょう」などに対応する現代ヨーロッパ語が動詞を現在形にすることが多いのも、そのことを示すだろう(5)。

日本語に、未来を示し、未来の出来事にのみ係る助動詞はない。過去については、どうか。「昨日は雨が降った」の「た」は「単純な過去」を示し、「本を書いたら、送りましょう」の

「た」は、「動作の完了」を示すという説がある(新村出編『広辞苑』岩波書店、第三版、一九八三)。しかし「雨が降った」の「た」は、古語の「き・けり」に相当するとして、「き・けり」を過去の助動詞ではなく、回想の助動詞とする説もある(大野晋・佐竹昭広・前田金五郎編『岩波古語辞典』、岩波書店、一九七四)。回想は記憶の喚起であり、記憶の内容は過去の出来事である。「た」が記憶の内容の過去ではなく、記憶を喚起する話し手の心理の現状を示すものとすれば、現代日本語に未来の助動詞がなく、過去の助動詞だけがある、という解釈の非相称性(asymmetry)と不安定性を避けられるだろう。日本語には未来の助動詞もないが、過去の助動詞もない。日本語文法が反映しているのは、世界の時間的構造、過去・現在・未来に分割された時間軸上にすべての出来事を位置づける世界秩序ではなくて、話し手の出来事に対する反応、命題の確からしさの程度(断定や推量)、記憶の喚起、行為への意志、相手への誘いなどだ、ということになろう。

現代日本語のあきらかな特徴の一つは、少なくともヨーロッパ語とくらべて、その文法が、時間線上の前後関係による時間の構造化よりも、時間的に継起する出来事に対しての話し手の反応の表現へ向う著しい傾向である。記憶は過去の出来事を、予測は未来の出来事を、話し手の現在の心理的状態へ引き寄せる。世界の過去は話し手の現在へ流れこみ、世界の未来は話し手の現在から流れ出す。もしそうでなければ、係わりのない過去は消え去り(amnesia)、予測できない未来は誰の関心の対象でもなくなるだろう。この言語とその文法は、一種の現在中心主義へ人を誘うように思われる。しかしそれは何時頃からのことか。

言語の基本的な文法的構造は、容易には変らない。現代日本語の時制の特徴は、古代日本語にまで遡ることができるだろう。『岩波古語辞典』(前出)は、その「基本助動詞解説」(一四二七―一四四一ページ)に、過去・現在・未来の出来事について、推量・完了・記憶・当然等の意をあらわす助動詞を列挙している。たとえば過去の出来事(動作)についての推量の助動詞は、「わが袖振るを妹見けむかも」(『万葉集』、一二四。以下、番号は岩波『古典文学大系』による)の「けむ」である。現代語の「見ただろう」に相当する。現在の事についての推量は、「春すぎて夏来たるらし」の「らし」(万、二八)、現代語の「らしい」。未来の三人称の動作の推量は、「語らひ継ぎて逢ふことあらむ」の「む」(万、六六九)、現代語の「だろう」。確かな過去の動作について、完了の助動詞、「つ」、「ぬ」、「り」、「たり」、未来に当然おこるはずの出来事について、「べし」など、その用例はすべて『万葉集』にある。そしてそのどれもが、直接に過去・現在・未来のどれかを明示するのではない。

ただし過去を示す助動詞があるかないかは、文法学者の間に意見の相違がある。一般には「き」・「けり」を過去の助動詞とする。しかし『岩波古語辞典』は、その通説をとらず、「過去」ではなくて、「回想」の助動詞として、その理由を説明している。同書が引く用例は、たとえば次のようである。

人言を繁みこちたみ逢はざりき心あるごとな思ひわが背子（万、五三八）

世の中は空しきものと知るときしいよよますます悲しかりけり（万、七九三）

これを「過去」としないで、「回想」とする理由は、比較文化論的・心理学的観点を含む。

> 現代のヨーロッパ人と古代の日本人との間には、時の把握の仕方に大きな相違がある。ヨーロッパ人は、時を客観的な存在、延長のある連続と考え、それを分割できるものと見て、そこに過去・現在・未来の区分の基礎を置く。しかし、古代の日本人にとって、時は客観的な延長のある連続ではなかった。むしろ、極めて主観的に、未来とは、話し手の漠とした予想・推測そのものであり、過去とは、話し手の記憶の有無、あるいは記憶の喚起そのものであった。それ故、ここに「き」「けり」について過去の語を用いず、回想という。
>
> （同書、一四三九―一四四〇ページ）

この独創的な考え方には、いくつかの問題点もある。その一つは、ここで「時の把握の仕方」が、古代日本人と現代ヨーロッパ人との間で比較されているが、古代日本人と古代ヨーロッパ人との間ではどうなるか、ということである。もう一つは、「時の把握の仕方」を一般に客観的な時間概念と主観的な時間（およそベルグソンの「生きられた時間」に近い）の対照として分析しているが、一時代の一文化のなかに共存し得るのではないか、ということである。その二つの問題は、一般に文化の時間に対する態度に係わっている。また最後に、与えられた一文化の時間概念と文法上の時制との関係はどうなのかということがある。たしかに一方は他方を反映するだろう。しかしよりくわしくその関係を見定めることは困難である。いわんやどちらが原因で、どちらが結果か、をいうことはできない。

さしあたり何を結論できるだろうか。第一に、ヨーロッパ語とくらべて現代日本語のもつ特徴——殊に時制の特徴は、少なくとも『万葉集』の時代からつづいて今日に及んだものであるということ、またおそらくヨーロッパ語の場合にも、時制の発達に関するかぎり——たとえばラテン語の時制、ただし古代ラテン語の語順は現代ヨーロッパ語のそれと著しくちがう——古代語から連続して発達してきたということ、第二に、このような日本語の特徴は、日本文化のなかでのある傾向、すなわち客観的時間よりも主観的時間を強調し、過去・現在・未来を鋭く区別するよりも、現在に過去および未来を収斂させる傾向を示唆する、ということである。

物語の文体

時間の過去・現在・未来を鋭く区別しない日本語の文法は、叙述の一段落のなかで、動詞(＋助動詞)の現在形と過去形(場合によっては未来を示唆する形)を、自由に、読者に違和感を与えずに、混用することを可能にする。日本語による文学的物語(narrative)の作者は、言語のそういう性質を、積極的に巧妙に利用して、独特の文体を作り出した。その典型的な例の一つが、『源氏物語』である。

いづれの御時にか。女御・更衣あまたさぶらひ給ひけるなかに、いと、やむごとなき際《きは》にはあらぬが、すぐれて時めき給ふありけり。はじめより、「われは」と、思ひあがり給へる御かたがた、めざましき者におとしめそねみ給ふ。おなじ程、それより下臈《げらふ》の更衣たちは、まして、安からず。(6)

物語の多くは、その内容が過去の出来事に係わる。ここでは「いづれの御時にか」がまず出来事全体の過去に──正確には特定できない過去に──属することを示す。その後に続く動詞(＋助動詞)は、「さぶらひ給ひける」が過去、「あらぬ」が現在、「ありけり」が過去、「そねみ給ふ」と「安からず」が現在の形である。語り手の意識にとっては、過去形は対象との距離を強調する。女御・更衣が大勢居たこと(「さぶらひ給ひける」)、そのなかに身分はあまり高くないが、すぐれて時めき給う主人公が居たことは、過去の客観的状況である。そこで何がおこったか。「そねみ」がおこり、更衣たちの不満がおこった。それが現在形で叙述されているのは、語り手にとっては強い関心の対象だからである。現在形の動詞によって、語り手の意識は対象に接近する。読者にとっては、閉鎖的な小集団内部での女たちの嫉妬という複雑で劇的な場面への臨場感が急にあらわれるだろう。その臨場感は、「おとしめそねみ給ふ」でゆるやかに終る文の次に、「安からず」の簡潔で強い一語に終る文が来ることによって、すなわち修辞法の緩急によって、緊張感にまで昂められる。

しかし過ぎ去った出来事を語りながら、現在形の文を混入させて臨場感を作り出す技法は、『源氏物語』においてよりも、たとえば『平家物語』において、はるかに効果的に用いられている。たとえば那須与一が沖の波間に遥れる小舟にさし出した扇を、海岸から射落す有名な場面。

……心のうちに祈念して、目を見ひらひたれば、風もすこし吹《ふき》よはり、扇もゐ(射)よげにぞなったりける。与一鏑《かぶら》をとって、つがひ、よっぴいてひやうどはなつ。……鏑は海へ入《いり》ければ、扇は空へぞあがりける。しばしは虚空にひらめきけるが、春風に一もみ二もみも

まれて、海へさっとぞちったりける。(7)

ここでは矢を放つ主人公の動作だけが現在形である。「与一鏑をとってつがひ、よっぴいてひやうどはなつ」。その前後の状況、神仏への祈念と風の静まり、扇を射抜いた後の光景などは、助動詞「けり」を用い、過去の出来事として描かれている。その過去形に対して、精神の集中(祈念)と素早い状況判断(風の静まり)から決定的行動へ移る描写の現在形は、鮮やかに際立ち、その一瞬の光景を見事に浮び上らせる。そのとき読者は弦を離れる鏑矢の唸りをわが耳に聞くだろう。擬声語「ひやうど」の感覚的効果と動詞「はなつ」の現在形の効果は相乗し、「武器と人々を唱う」『平家物語』の文体の迫力を生み出す。

『源氏物語』と『平家物語』の間には、二百年以上の隔たりがあった。一方は、宮廷を舞台とする「もの思ひ」と儀式化された男女関係の世界であり、他方は、しばしば戦場を舞台とする決断と敏速な行動の世界である。『源氏物語』の写本を読んだのは、平安朝の貴族と女房たちであり、琵琶法師の語る「平曲」を聴いたのは、宮廷と支配層の外に広がるはるかに多様な人々であったにちがいない。過去の出来事を回想する物語のなかに、直接法現在の描写を投入する手法は『源氏物語』よりも『平家物語』において、はるかに大きな威力を発揮したはずである。

この文体上の工夫は、徳川時代の小説にも継承された。たとえば怪談の名手、上田秋成の

『雨月物語』に「吉備津《きびつ》の釜」という短篇小説がある。占いの凶兆にもかかわらず結婚した男が、死んで鬼となった妻に取り殺される話。男は護符を貼った家の中に居て、鬼はその中へ侵入できない。しかし男が外の様子を見ようとして戸を開けた瞬間に襲う。その瞬間を小説は描かず、男の安否を尋ねに来た第三者の見た「浅ましくもおそろしき」光景を、現在形で、活写する。

……あるひは異《あや》しみ、或は恐《おそ》る恐《おそ》る、ともし火を挑《かか》げてここかしこ見廻《めぐ》るに、明けたる戸腋《とわき》の壁に腥《なま》なましき血灌《そそ》ぎ流て地につたふ。されど屍も骨も見えず。月あかりに見れば、軒の端《つま》にものあり。ともし火を捧げて照し見るに、男の髪の髻《もとどり》ばかりかかりて、外には露ばかりのものもなし。浅ましくもおそろしさは筆につくすべうもあらずなん(8)。

その後に、夜が明けてから野山を探してみたが、何も見つからなかったということ、男の生家にも報《しら》せ、そこから亡妻の実家にも報せたということを述べ、されば陰陽師の占いは正しかったと語り伝えた、と話を結ぶ。読者は男の死の現在に立ち会うのではなく、その跡を目撃した第三者の現在にひき込まれる。

主人公と自己を同定し難い読者にとっても、第三者、すなわち悲劇の目撃者＝証人への感情移入は容易であり、第三者はいわば読者代表として、読者の臨場感を強化するのである。この手法は古く、上田秋成に固有のものではない。能舞台で主人公(シテ)の悲劇に立ち合う「旅の僧」(ワキ)も、観客を代表し、観客の臨場感を支える。はるかに遡ってギリシャ悲劇の「コロス」を想起することもできるだろう。上田秋成の小説家としての水際だった手腕は、話の頂点(climax)において、第三者の眼をとおしての光景を現在形で描きだしたという点にある。そうするためには、厳密な時制を要求しない日本語の文法が前提条件であった。『雨月物語』の原文を、厳密な時制を伴う言語(たとえばフランス語)への訳文と比較すれば、その前提条件は、さらにあきらかになるだろう。話の全体が過去の出来事であるから原文の現在形をそのまま訳文の現在形へ移すことはできない(9)。

明治以後、近代日本において、文学的な散文はいわゆる文語体から口語体に変った。しかし文法的な時制の特徴は、基本的に変らず、それを作家たちが巧妙に利用する伝統もまた変らなかった。口語体で文学的な文体を創ることに貢献した明治の代表的な二人の作家、森鷗外と夏目漱石の場合を見よう。まず鷗外の『寒山拾得』から。

「はなはだむさくるしい所で」と言いつつ、道翹は閭を厨《くりや》の中に連れ込んだ。
ここは湯げがいっぱいにこもっていて、にわかに入って見ると、しかと物を見定めることもできぬくらいである。その灰色のなかに大きいかまどが三つあって、どれにも残った薪がまっ赤《か》に燃えている。しばらく立ち止まって見ているうちに、石の壁に沿うて造り付けてある卓《つくえ》の上でおおぜいの僧が飯や菜や汁を鍋釜から移しているのが見えてきた(10)。

ここには四つの文があり、その文末の動詞(または助動詞)は、それぞれ過去(または完了)、現在、現在、過去(または完了)の形をとっている。過去(または完了)の状況のなかにはめ込まれた現在形の文は、前述したように読者に臨場感をあたえる。しかしそれだけではない。日本語の文では文末に動詞または助動詞が来る。もしこの一節から現在形を排し、四つの文をすべて過去形にすれば、文末に助動詞を置かざるをえず、助動詞の種類は動詞のそれよりもはるかに限られているから、文末の単調なくり返しを避けることができない。「連れ込んだ」、「できぬくらいであった」、「燃えていた」、「見えてきた」という「た」のくり返しは、単調にすぎる。ことに口語体では、文語体の場合よりもさらに助動詞の種類が少ないから、文末くり返しの弊を避けるのはさらにむずかしくなるだろう。問題解決のほとんど唯一の手段は、第二、第三の文を現在形にして、文末に動詞の終止形を置き、単調さを破ることである。幸いにして日本語の文法はそれを許す。鷗外はその可能性を見逃さなかった、ということになろう。

次に引く漱石の『夢十夜』の場合も同じ。

　こんな夢を見た。

和尚の室を退って廊下伝ひに自分の部屋へ帰ると行燈がぼんやり点《とも》つてゐる。片膝を座蒲団の上に突いて、燈心を搔き立てたとき、花の様な丁字がぱたりと朱塗りの台に落ちた。同時に部屋がぱつと明かるくなつた。

襖の画が蕪村の筆である。……床には海中文珠の軸が懸つてゐる。焚き残した線香が暗い方でいまだに臭つてゐる。広い寺だから森閑として、人気がない。黒い天井に差す丸行燈の丸い影が、仰向く途端に生きてる様に見えた。(11)

「こんな夢を見た」のは、眼がさめている語り手の時間のなかの出来事である。その時間と、夢のなかの時間とは異なる。邯鄲の夢の外と内とで、時間が異なっていたのと同じ。一方の時間で夢を見たのが過去であり、他方で夢の内容の記述が現在形の文(「点つてゐる」)で始まるのは、不思議ではない。しかし夢の内容の記述も、現在形に一貫するのではなく、一転して過去形(「落ちた」、「明るくなつた」)の文へ続き、再転して現在形に戻り(「筆である」以下)、最後に過去形で終る(「見えた」)。これは『夢十夜』の第二夜の冒頭の一節で、話にはもちろん先がある。しかし『夢十夜』の文体の特徴を知るためには、この一節だけでも十分だろう。すなわち短い文を連用し、現在形と過去形を頻りに交代させて、一種の「リズム」を作りだす。どの文を現在形とし、どの文を過去形とするかは、文の内容とは関係がなく――したがって臨場感の強調というようなこととは無関係に――、文末の変化をもとめ、「リズム」感を基準として決められたようにみえる。これは全く形式的な配慮である。文末に同じ助動詞をくり返す単調さは、短い文を連用するときに致命的に目立つ。漱石はそのことを逆手にとって、現在形と過去形の交代を駆使し、短い文の連用によってのみ得られる文体の「リズム」を作ったのであろう。

しかし果してそれだけだろうか。夢の内容を語り手の現在からふり返ってみるのは、記憶の喚起であり、漠然と過去の現象(または出来事、または状況)の回想である。しかるに過去の現象には、二種類を区別することができる。第一種は、多かれ少なかれ持続する現象で、たとえば和尚の室から自分の部屋へ帰ると行燈が点っていた、——というときの行燈の状態は、帰った瞬間に点灯したのではなく、しばらく前から光っていた持続的現象である。いわんや襖の画が蕪村の筆であるのは、おそくとも最後の襖の貼り替えのときからの話で、おそらく何十年も変らぬ状態と考えられる。第二種は、過去の特定の時点で起こった出来事で、たとえば、丁字がばたりと朱塗りの台に落ちたように、瞬間の、持続的でない事件。同時に部屋がぱっと明るくなった、という感覚も、持続的ではない、その瞬間の経験である。天井の丸行燈の影が生きているように見えたのも、のべつ幕なしにそう見えていたのではなく、主人公が仰向いたその時にだけそう見えたのにちがいない。この二種類の過去の現象を記述するのに、フランス語の文法では、第一種の現象には動詞の「半過去 imparfait」形を、第二種には「単純過去 passé simple」形を用いる[12]。そういう過去の現象の分類と、その分類に対応する動詞(または動詞＋助動詞)の二つの異なる形は、日本語の文法にはないし、英語にもない。しかし過去の夢の内容を回想する漱石のこの一節では、持続的現象には動詞(＋助動詞)の現在形が、特定の時点の瞬間的な出来事には過去形が用いられている。少なくともこの一節に関するかぎり、漱石の文の現在形はフランス語の半過去に、過去形は単純過去に対応し、例外はない。フランス人ならば半過去を用いるところで、漱石は現在形を使い「行燈が点つてゐる」と書き、フランス人ならば単純過去を用いるところで、過去形に転じ「ばたりと朱塗りの台に落ちた」と書く。これは一体何を意味するだろうか。第一に、彼が一つの文を現在形とするか、過去形とするか、その判断の基準は、単に形式的な「リズム」だけではなく、意味論的な側面をもっていたということを意味する。また第二に、その意味論的な選択基準は、フランス人が半過去を用いるか、単純過去を用いるかの選択基準に似ていた、ということを意味するだろう。そこで、なぜ漱石は、日本の文化的伝統のなかにはない過去の現象の二分法を、強く意識したのか、という問題が生じる。漱石は英語と英国の文化に通暁していたが、同様の二分法は英語文法にはない。中国の古典語は、過去・現在・未来を峻別する文法的手段に乏しく、いわんや過去の現象を時間との関係でさらに分類し、構造化することはない。しかしフランス語から漱石が深い直接の影響を受けたとは考えにくい。私はさしあたり問題の答を保留するほかはない。

われわれの当面の課題は、過去・現在・未来を鋭く区別しようとしない日本文化の特徴を仮定すれば、その特徴は日本語の時制にもあらわれ、日本語の時制の特徴は、『源氏物語』から鷗外・漱石に到る日本文学の文体にも反映しているということの確認である。

もちろん時間の概念と文学との関係は、文学のほとんどあらゆる面にあらわれる。文体は日本語そのものと直接に係わり、そのあらわれ方の殊に鋭い一面であるにすぎない。際立って時間概念を反映するもう一つの面は、詩、殊に抒情詩の形式である。

抒情詩の形式

日本語の抒情詩の形式的な特徴は、極端に短い詩型が何世紀にもわたって用いられてきたことである。第一に、短歌(三一音節)、はるかにおくれて俳句(一七音節)。おそらくこれほど短い詩型の、これほど長い愛好の歴史――それはまだ終っていない――をもつ文化は、他にないだろう。

中国の近代詩には、五言絶句があり、二〇音節の四行詩で、短歌の三一音節よりも音節の数は少ないが、語数は、原則として一音節一語だから、しばしば数音節で一語をなす短歌の場合よりも、少ないとはいえない(短歌の語数は、テニヲハを除けばさらに少ない。中国語にテニヲハはない)。しかしそれは少差であって、五言絶句は短歌とならび、千数百年の歴史をもつ短詩型にちがいない。決定的なちがいは、中国の場合には、五言絶句ばかりでなく七言絶句があり、五言または七言の八句(あるいはそれ以上)から成る律詩もあって、二〇音節の五言絶句のみが主要な詩型ではなかったということである。短歌は平安時代から宮廷が公認し、推進し、制度化した唯一の詩型であり、その後も日本語による抒情的表現の主要な形式でありつづけた。

歴史的にみれば、八世紀中葉に編まれた『万葉集』の主な詩型は、短歌の他に、長歌と旋頭歌であった。典型的な長歌の音節構成は、五・七の行をくり返して、五・七・七で終る。全体の行数は一定でない。旋頭歌は五・七・七の二行。しかるに一〇世紀初の最初の勅撰集『古今和歌集』の一千余首は、長歌をわずか五首、旋頭歌を四首採るにすぎない。古代から短歌だけが支配的な形式だったのではなく、『古今和歌集』がより長い詩型を捨てて、短歌に絞ったのである。その先例は、その後も長く踏襲され、短歌を作る習慣は宮廷社会の外部へも浸透するようになる。

『万葉集』から『古今和歌集』への変化は、もとより短詩型への集中ということだけではなかった。表記法も変り(「真名」から「仮名」へ)――その背景には母音体系の変化もある――、修辞法も変り(『古今和歌集』でのかけことばの多用、また「もの思ひ」の「もの」の強調など)、作者の社会的・地理的背景も変った(宮廷社会外部の作者の排除)。今そのことの詳細にはたち入らない(13)。ここでは、およそ一五〇年を隔てて編まれたこの二つの詞華集の間に、題材の範囲の大きなちがいがあること、したがって題材の種類に応じての作品の分類にも著しい対照があり、「四季」によって抒情詩を分類する独特の習慣があらわれたのは――その習慣、またはほとんど強迫観念については、後にも触れる――、『古今和歌集』においてであることに、注意すれば足りるだろう。『万葉集』は、恋(「相聞」)と死(「挽歌」)を歌い、その他(「雑歌」)に祝賀、行事、旅、兵事などに触れ、数は少ないが貧困や重税や酒にも及ぶ。周知のように、同時代の中国の詩の圧倒的な主題は、兵事を含めての政治社会に係わり、また大いに飲酒に係わっていた。その影響は『万葉集』においてあきらかである。しかるに『古今和歌集』は、大陸の「詩」に対してまさに「和歌＝やまとうた」を主張したのであり[14]、政治と酒を歌の世界から追い出しても不思議ではない。それこそは「やまとうた」の消極的な自己主張であった。積極的には何を主張したか。春・夏・秋・冬それぞれの季節の歌を集め、恋の歌とともに、主題別分類の主要な範疇とした。紀淑望《きのよしもち》の「古今和歌集序」(いわゆる「真名序」)は『詩経』の「大序」を引用し、紀貫之等の「仮名序」は和文でそれを踏襲するが、その『詩経』が春・夏・秋・冬に詩を分けるということはなかった。『詩経』のみならず、その後の中国でも、ヨーロッパでも、詩の分類に四季を基準とすることは少ない。しかるに日本では、『古今和歌集』が二〇巻一千余首のおよそ三分の一を恋歌とし、三分の一を四季の歌として、それ以後の詞華集の多くはそれに準じたのである。

抒情詩の主題として恋を重んじるのは、多くの文化に共通の傾向である[15]。恋とならんで同じ程度に四季の移りゆきを重んじるのは、日本の文化において際立った傾向である。四季は循環する。そこで起こる事象は一回限りではない。「逝く春」はまた還って来るし、「あまりに短かかりしわれらが夏」は再びきらめくだろう。四季の時間は、直線的に前進するのではなく、円周を巡るのであり、円周には始めもなく終りもない。円周上のあたえられた一点、すなわち現在の時点において、人は過ぎ去ろうとする季節を惜しみ、来ようとする季節に期待するのである。たとえば、

とどむべきものとはなしにはかなくもちる花ごとにたぐふ心か
（凡河内躬恒《おおしこうちのみつね》、『古今和歌集』、巻二、春歌下、一三二）

これは春の終り、花の散るのを惜しむ歌である。しかしこの惜別は悲劇的ではない。むしろまた会うだろう恋人たちの朝の「甘美な悲しみ」に近いだろう。春はまた来よう、花はまた咲くからである。何年経っても故郷の花は昔の香に匂う。悲劇的であり得るのは、「人はいさ心も知らず」（紀貫之、『古今和歌集』、巻一、春歌上、四二）の方であり、時間直線上の出来事の一回性であって、季節の移りゆきではない。

他方には、春の初め、貴族にとっては花咲く季節、農民にとっては種を蒔く季節への期待がある。

袖ひちてむすひし水のこほれるを春立つけふの風やとくらん
（紀貫之、『古今和歌集』、巻一、春歌上、二）

『古今和歌集』は農民の声を反映しない。彼らが袖のある着物を着て水を汲むことはなかっ

たろう。これは田植えの歌ではなくて、貴族歌人の、生産とは関係のない季節感の表現であり、梅の香や鶯の声、桜や春霞、光のどけき春の日を、早くも予感するものであったにちがいない。近い未来に、実際の梅の香を彼がどれほど愉しんだかは、少なくともこの歌からはわからない（そもそも梅の香は中国の詩人の好んだ素材で、貫之はむろんそのことを知っていた）。しかしおそらく、未来の梅の香という事実そのものよりも、その予感あるいは期待という現在の彼自身の心的状態を愉しんでいたのだろう。『古今和歌集』の歌人の多くは、梅の香どころか、恋人その人よりも、恋人を思う当人の心的状態、すなわち彼らのいわゆる「もの思ひ」を、少なくとも歌の素材としては、珍重していたようにみえる。恋人に「会ふ」のは未来であり、「もの思ひ」は現在である。

平安朝の宮廷とその周辺の貴族社会は、短歌を制度化した。もと抒情詩として発生した歌は、一方で、社交的な意思疎通の形式となり、他方で、遊戯の手段となった。そこから勅撰集編纂の伝統や歌合の流行や、さらには連歌の発展が生じた。勅撰集の撰者や歌合の判者は、歌人たちが勅撰集入撰や歌合の勝負に熱中すればするほど、歌の評価に説得的な理由をつけなければならない[16]。その必要は、平安時代末になると、『新古今和歌集』の撰者たち、藤原俊成や定家に代表される「歌論」の発達を促した。中国語と日本語とのちがいは大きいから、中国の詩論をそのまま歌論に移しても実際にはほとんど役にたたず、歌論は、『万葉集』以来の和歌の歴史的変遷を踏まえて組みたてざるをえない。平安朝崩壊の時代に貴族階級のなかで鋭くなった歴史意識は、かくして、まず最初に歌論にあらわれたのである。(17)

連歌の「今＝ここ」

短歌の上の句(五・七・五)を一人が作り、それに続けて下の句(七・七)を別のもう一人が作る例は、稀だが『万葉集』にもみえる(巻八、尼と家持)。平安時代後半期には、短歌の遊戯化が強まるとともに合作も流行した。現にたとえば源俊頼撰の『金葉和歌集』(一一二七年)は、合作の短歌一九首を採る。その流行は遊戯から発して抒情詩としての公的容認に到るほど盛んであった、といえるだろう。そこには短歌の概念を根本的に変えるだろう二つの考え方が潜在していた。

第一の考え方は、短歌の分解である。三一音節の短詩型は、それを分割して、さらに短い詩型を作りだすことができる。いつの日か、五・七・五の句は独立し、おそらく世界で最も短い詩型として普及し、発展し、おどろくべき大衆性を獲得するに到るであろう。

第二の考え方は、合作である。そこで短歌の内容は転換する。『古今和歌集』の「仮名序」は、和歌の内容を「心に思ふ事」の表現とした。しかるに原則として二人の作者の「心に思ふ事」はちがうだろう。合作の一首は、もはや「心に思ふ事」の表現ではあり得ない。そうではなくて、短歌の半分があたえられた時、つじつまの合った一首を成りたたせるように残りの半分を作る工夫、その当意即妙の味の表現となる。心に何を思おうと、その事とは関係がない。

そこまで思い切れば、あとは技術の問題であり、技術は「進歩」する。二人の合作が面白ければ、寄合いの仲間数人の合作はなお面白かろうという考えが浮かんでも不思議ではない。またあたえられた上の句に下の句をつけることができれば、あたえられた下の句に上の句をつけることもできるだろう。そこで作者甲の上の句A_1に作者乙が下の句B_1を作って第一首(A_1・B_1)が成り、その下の句B_1を前提として作者丙が上の句A_2を作れば第二首(A_2・B_1)ができる。同様の手続きを繰り返して第三首(A_2・B_2)、第四首(A_3・B_2)という風に進むのが、連歌である[18]。

連歌は貴族社会の生みだしたものだが、貴族が政治権力を失った後にもますます流行し、勅撰集を中心とする伝統的美学の枠のなかで、その形式が洗錬されるようになった。権力を握った上層武士も、京都の文化的権威に従い、京都の流行を追う。鎌倉の将軍実朝は定家の弟子となり、連歌の領域では二条良基が天下に号令するだろう。しかしそこまでは支配層の内部での話である。連歌はそこにとどまらず、支配層の外へはみだして、あらゆる階層の人々の間に浸透し、大衆の中へ拡散した。一四世紀の内乱の時代には、城を包囲して相手方の出方を待つ軍勢が、野営の陣地で連歌の会を催すまでになったという(『太平記』)。高位の貴族から「非人」まで、将軍から奴婢まで、社会的階層を縦断してあらゆる男女が、同じ一つの遊戯娯楽に熱中したという例は、まさに連歌と、一五世紀の河原能の他になかったかもしれない。しかも連歌は徳川時代まで生きのびた。

大衆化はしばしば俗化を意味し、俗化はまた活性化を意味することもある。貴族・武士ら支配層の外へはみだした連歌は、同時に彼らの伝統的美学の外へもはみだした。主題は上品で優美な四季の象徴と「もの思ひ」から、日常身辺の具体的で多面的な経験へ向い、語彙は俗語を採り入れて拡大され、修辞法は諧謔を含んで活潑になった。大衆的連歌は俳諧連歌を生み、やがてそれを芸術的に発展させてゆくことになるだろう。一七世紀後半に俳諧連歌の芸術的洗錬に貢献したのは、周知の如く、松尾芭蕉とその仲間たちである。芭蕉は一方で俳諧連歌の共同制作を主宰するとともに、全国を旅して多くの紀行文を書き、その高度に彫琢された散文のなかに俳句の傑作をちりばめた。俳句は連歌の第一句すなわち発句(五・七・五)を連句から切り離して独立の短詩型としたものである。芭蕉は短歌に次ぐ短詩型としての俳句の成立にも寄与した。俳句が明治以後連歌の衰退した後にも大いに行われて、今日なお日本語の定型詩の世界を短歌とともに二分していることは、いうまでもない。

連歌では句の総数を多くも少なくもすることができる。しばしば行われたのは百句一巻(百韻)や、三六句一巻(歌仙)などである。一見、行数の多い長歌のようにみえるが、長歌とは全くちがう。長歌の作者は一人で、主題に一貫性があり、その展開に少なくともある程度まで起承転結の構造が考慮される。連歌は数人の合作で、誰も全体の構造を考えず、その場その場での付句の工夫に注意を集中する。各人はあたえられた前の句との関係においてのみ一句を作るので、それより前にどういう句があったかを考慮する必要はない。春の句が続いてきたからこの辺で季節を変えた方がよかろうと考えることはあり得るが、それは二次的問題にすぎない。また付句を工夫するのに次に来るべき句を考慮する必要もない。それは他人が作るのだから、何をどう言い出すかわからないからである。連歌の流れはあらかじめ計画されず、その場の思いつきで、主題を変え、背景を変え、情緒を変えながら、続くのである。その魅力は、作者にとっても、読者にとっても、当面の付句の意外性や機智や修辞法であり、要するに今眼の前の前句と付句との関係の面白さである。面白さは現在において完結し、過去にも、未来にも、係わらない。連歌とは、過ぎた事は水に流し、明日は明日の風に任せて、「今＝ここ」に生きる文学形式である。その文学形式こそが、日本文学の多様な形式のなかで、数百年にわたり、史上類の少ない圧倒的多数の日本人の支持を受け続けたのである。[19]

　日本語の定型詩の変遷は、短歌・長歌・旋頭歌の共存から短歌へ集中し、短歌の合作から連歌が生れ、連歌を媒介として俳句が成立した、という風に要約されるだろう。これが主流であり、その歴史に内在した傾向は、あきらかに、短詩型志向である。しかし抒情詩の千年以上にわたる長い歴史が、短歌と俳句以外の詩型を全く知らなかったわけではない。

平安時代の仏教寺院に発する「和讃」は、七・五の句を一行として、行数は不定、長いものも短いものもある。和讃を作った高僧は、江戸時代に到るまで少なくないが、その目的は布教にあり、一般に抒情詩の独立した形式ではない。平安時代末に広く行われた「今様」は、七・五の句を一行とした四行詩である。主題は必ずしも仏教に係わらず、宮廷外の庶民の風俗や感情に触れ、語彙は制度化された短歌と異なり、広く方言や俗語を含む。歌い手は主として白拍子。しかし貴族社会にも流行し、殊に後白河法皇は今様に熱中して、その歌詞の集大成『梁塵秘抄』を編んだ。短歌が社会の上層から下層へ広がったとすれば、今様は逆に下から上へ浸透したのである。しかし今様が流行し、ほとんど短歌に拮抗する勢いを示した時期は、比較的短い。室町時代の能・狂言の小歌や地方民謡の歌詞の一端は、一六世紀初めに編まれた『閑吟集』から窺うことができる。詩型は多様で、そこに有力な新しい形式を特定することはできない。要するに多様な歌と多様な形式が存在したが、その通用した領域または時期または地方は限られていて、どの形式も定型詩が短歌と俳句に収斂してゆく大勢を揺さぶるには到らなかった、といえるだろう。それほど短詩型志向は強かった。

俳句の時間

短歌と俳句はどうちがうか。すでに三一音節の歌のなかで、時間の推移を描きだすことは容易ではなかった。したがって大部分の歌は、歌人の現在の環境を映すか、心境を述べる。

久方のひかりのどけき春の日にしづ心なく花のちるらむ

（紀友則、『古今和歌集』、巻一、春歌下、八四）

春の光も、散る花も、眼前の光景であるが、一方ののどかさと、他方のせわしなさ（「しづ心なく」）との対照が面白い。その面白さは、現在において完結していて、過去のいかなる出来事とも、未来のいかなる現象とも、全く関係がない。この歌のなかでは時間が流れない。

しかし例外はあり得る。『古今和歌集』においても、回想は短歌の一つの技法になっていた。現在の経験が過去の経験を喚びさまし、喚びさまされた過去が現在に意味をあたえる。たとえば、

さつきまつ花たちばなの香をかげば昔の人の袖の香ぞする

（よみ人しらず、『古今和歌集』、巻三、夏歌、一三九）

また中年の美女が流れ去った時間を意識しての歌。

花の色はうつりにけりないたづらに我が身世にふるながめせしまに

（小野小町、『古今和歌集』、巻二、春歌下、一一三）

これはかけことばの巧みさ（降ると経る、長雨と眺め）で有名な歌だが、それ以上に女にとっての年齢＝時間の意識を三一音節に要約して見事である。

また時間の流れとともに変るものと変らぬものとを対比させて、その双方を際立たせる場合もある。たとえば人の心は変り、花の香は昔と変らない。

人はいさ心も知らずふるさとは花ぞ昔の香ににほひける

（紀貫之、『古今和歌集』、巻一、春歌上、四二）

またたとえば、一年前とは状況が変って、自分だけが変らないこともある。

月やあらぬ春や昔の春ならぬ我が身ひとつはもとの身にして

（在原業平朝臣、『古今和歌集』、巻一五、恋歌五、七四七）

しかしここに挙げた例からもあきらかなように、一般に歌のなかには回想があっても、予想はない（あるいは、ほとんどない）。その時間は、今日を中心として、昨日の記憶の甦ることはあるが、明日には向わない時間である。もし時間を過去・現在・未来の流れとして定義すれば、ここでの時間は実は時間ではなくて、現在の状況である。過去を回想するのは現在の行為であるから、回想は過去の現在化と考えることもできるだろう。過去の現象はそれ自身として歌のなかに入って来るのではなくて、それが記憶または回想として、現在化され、現在のなかへ流れこみ、吸収される限りにおいて、表現されるのである。

きわめて稀な例外は、『新古今和歌集』にあらわれる次の一首である。

ながらへば又此ごろやしのばれんうしとみしよぞ今は恋しき

（藤原清輔、『新古今和歌集』、巻一八、雑歌下、一八四三）

ここには過去・現在・未来が備わる。「ながらへば」は未来、「此ごろ」は現在、「うしとみしよ」は過去である。過去を参照し、未来と関係づけることによって、現在の状況の意味が変る。別の言葉でいえば、現在の出来事の意味は現在の時点において完結せず、過去・現在・未来の時間の流れとの関係においてのみ完結するのである。すでに過去・現在・未来の時間があれば、そこに論理的前後関係もあり得るだろう。この一首はまた推論を含意する。現在から見ての過去はしかじかである。故に未来から見ての現在もしかじかであろう、というのは一種の推論である。歌の内容が推論の形式をもつ例は、おそらく他に少ない。

　このように歌人たちは、短歌の枠のなかで可能なことをすべてやり尽そうとした。しかし俳句の枠はもっと狭い。歌と俳句の二つの短詩型がもつ可能性は、大いにちがう。歌でいえることが俳句ではいえない、あるいはきわめてむずかしい。三一音節のなかでは時間の経過を表現することができる。少なくとも昔を想い出し、現状に過去の経験を重ねてみることができる。しかし一七音節の句では、回想を容れる余地がなく、そのなかで時間の持続を示すのは至難である。現にたとえば「もの思ひ」は、瞬間の心理的反応ではなく、ある期間持続する状態であり、それ自身のなかに時間の持続を含意する。「もの思ひ」の歌が多く作られたのは、歌という形式が、たとえ明示的に回想を含まないとしても、少なくとも感情の起伏を示唆するためには十分な長さをもっているからである。しかるに芭蕉の句には恋がほとんどない。一七字の短詩型が、瞬間の感覚的経験を捉えるのに適し、恋のような持続的心理的状態を歌うには適しない、ということを、彼が熟知していたからであろう。

連歌の付句には男女関係に触れるものもあるから、独立した俳句にそれがほとんどない大きな理由は、三一音節と一七音節との形式的な相違にあったはずである。もちろん連歌を含め、さらに俳文を含めても、芭蕉の遺文の全体に色模様は少ない。そのことの理由は、また別の問題である。しかしそれはここでの議論の要点ではない。ここでは芭蕉自身が、俳句を短歌(その一つの形態としての連歌)と区別して、瞬間的経験の表現と考えていたことに注意すれば足りる。その経験は感情的ではなく、感覚的であり、知覚の対象(外界)と内心との一種の交感であって、たちまち起こり、たちまち消え去るものである。服部土芳が『三冊子』に引く芭蕉自身の言葉によれば、「物のみへたる光、いまだ心にきへざる中にいひとむべし」ということになろう。時間はそこで停まる。回想がそこに介入する余地はない。

しかし芭蕉だけが俳人ではなかった。一瞬の感覚が記憶をよびさますこともあり、一七音節のなかで時が流れ、感情が持続することもなくはない。たとえば蕪村の有名な句二つ。

いかのぼり昨日の空のありどころ

では「昨日」と今日が高い冬の空のなかで重なる。

うれひつつ丘にのぼれば花茨

では、丘へのぼるという行動の持続性が前提とされる。その時間の持続は、感覚ではなく感情の表現、「うれひつつ」の成り立つ条件に他ならない。「花茨」は、夏の季語、ドイツ語でHeidenröslein(野ばら)というものだろうが、蕪村では「古郷の路」を連想させるものでもあった(「花茨古郷の路に似たるかな」)。花茨との出会いは現在である。それが喚起するのは古郷の過去である。この一句は、たとえば「人はいさ心もしらず」の一首が歌った現在の感情と過去の回想との微妙な照応を、明示的にではなく、しかし鮮やかに、表現しているといえるだろう。

しかしここでも例外は原則を否定しない。原則は詩型が短ければ短いほど瞬間的な現在へ向うということである。その決定的な瞬間を「いひとむ」ために、芭蕉は鋭い語感を駆使し、有効なあらゆる修辞法的手段を動員した。季語はその一つである。四季を短歌の重要な主題としたのは平安時代だが、江戸時代は季語によって季節を示す手法を重視した。それが組織化されると、いわゆる「歳時記」が作られる。短歌では「春すぎて夏来にけらし……」ということができる。春すぎて秋や冬の来ることはないから、念の入った話だが、それだけで一二音節、しかしその後にまだ一九音節がある。俳句では残りが五音節しかない。そういうあたりまえの事をいうのに一二音節を費やすことは不可能だろう。季語を用いれば夏といわずして夏を示すことさえもできる。もちろん「夏草」といい、「秋の暮」ということもあるが、「蟬」や「ひぐらし」の語があれば、夏や秋を用いるには及ばない。季語は短詩型の表現の経済のために有力な道具である。

俳句では「春すぎて夏来にけらし」といえないように、「あしびきの山どりの尾の」ともいえない。最後の五音節だけでは何が長いのかをいうことさえむずかしいだろう。枕詞は短歌においてしばしば有効な修辞法であるが、俳句では無用である。

芭蕉はまた一瞬の感覚を捉えるために、擬声語や畳語を利用し、言葉の超現実主義的な組み合せにまで到った。たとえば、

ほろほろと山吹散るか滝の音

あかあかと日はつれなくも秋の風

閑さや岩にしみ入る蟬の声

そこでは時間が停まっている。過去なく、未来なく、「今＝ここ」に、全世界が集約される。芭蕉はそこまで行った。俳人の誰もがそこまで行ったのではない。しかし誰もが「今＝ここ」の印象に注意し、その時までのいきさつからは離れ、その後の成り行きも気にかけず、現在において自己完結的な印象の意味を、見定めようとしたのである。俳句は日本語の抒情詩の形式が歴史的に発展した最後の帰結である。今ではおそらく数十万の人々が俳句でその「心」を表現しようとしている。さればこそ数百万の発行部数をもつ大新聞にも読者の俳句の欄があ

る。そのことの背景は、おそらく彼らが、少なくともその心情の一面において、現在の瞬間に生きているということであろう。

随筆の特徴

抒情詩の形式、殊に連歌の形式に対応する散文の文学の形式は、日本語で「随筆」とよばれるものである。随筆に相当する西洋語はない。事実上それに似た文章はあり得るが、少なくとも文学的散文の主要な範疇の一つとはみなされていない。しかるに日本では『枕草子』以来『徒然草』や『玉勝間』を通って今日に到るまで随筆として総括され得る文章が、散文の文学の主要な形式の一つというよりも、ほとんど最も重要な形式であった。著作家たちはそこでもっとも多くを語ったのである。日本文学に固有の独特の形式、その長い歴史と圧倒的な大衆性という点で、連歌と随筆は似ている。ちがうのは、一方が共同制作の定型詩で、他方が単数の作者の散文である、ということにすぎない。

連歌の著しい特徴、すなわちその全体は成り行きに任せて成り、明瞭な構造をもたず、あたえられた時点での付句に全体の流れからは独立した工夫や面白味があるという傾向は、全くそのまま随筆の特徴でもある。『枕草子』も『徒然草』も『玉勝間』も、相互に共通の主題をもたない断片の寄せ集めで、全体を通しての話の筋はなく、特定の一つの考えの発展はなく、要するに建築的な構造は全くない。また断片の配列に、たとえば年代順のような何らかの秩序があるわけでもない。その長さも不定で、数行のものもあれば、数ページに及ぶものもある。一貫しているのはおそらく、同じ一人の作者の文体にすぎない。何が面白いのか。あきらかに全体ではなく、部分である。各部分＝断片が、前後との関係なく、それ自身として、それだけで、それなりに、面白いのである。作者の機智や感受性やものの考え方、風俗の鋭い観察、歴史的な事実や文献の紹介、書評、人物評、噂話、神話の細部、政治についての意見、酒や食べものの味、語彙と意味論、……列挙すれば際限がない。全体ではなく部分への興味に集中した文学形式が随筆である。随筆の各断片は、連歌の付句のようなものである。時間の軸に沿っていえば、読み終った断片や、来るべき断片とは関係なく、今、目前の断片が、それ自身として面白ければ面白い。抒情詩の形式における現在集中への志向は、散文においても、もっとも典型的には随筆において、全く同じように確認されるのである。(20)

芸術と時間

「音色」と「間」の音楽

人間は言語表現と音楽に対し脳の別の部分で反応するらしい。脳の左側の言語中枢の障害により言語機能が全く失われても、音楽的能力には何らの影響もないことがある。逆に右脳皮質の相当部分に障害があれば、音楽のリズムや旋律の評価が乱されることがある[21]。しかし同じ文化圏のなかでは、言語表現も音楽も、その文化の強い影響を受ける。日本で連歌がその全体の流れにではなく、各瞬間の局面に注意を集中するとすれば、その傾向は、日本の伝統的音楽をも特徴づけていた。少なくとも西洋近代の音楽とくらべれば、日本の音楽は、音楽的持続の全体の構造よりも、それぞれの瞬間の音色や「間」を重視する。抒情詩が短詩型へ向かったように、能や浄瑠璃の劇場音楽は、くり返される比較的短いいくつかの型の曲に還元され、それぞれの曲はそのなかでの瞬間の音の質に還元される。一息に吹きこむ鋭く長い笛の音は死者の魂を舞台に引きだすのであり、太棹の撥の冴えは道行の男女が生きる「永遠の今」を現前させる。それが「聞きどころ」である。

江戸時代に普及し、洗錬された日本の音楽の大部分は、歌唱や語りの伴奏や踊りのための音楽で、およそ同時代の西洋音楽のような純粋の器楽は少ない。尺八の独奏曲は例外である[22]。

旋律は多声的でなく、単線的である。声楽でも器楽でも、フーガのような建築的構造をもつことはない。また旋律を和音が支え、主題の提示とその変奏およびくり返しから成るソナタのような緻密な構成が展開することもない。その代りにそれぞれの音の「音色」に注意が集中される。音色は多くの倍音を含んで複雑となり、微妙なヴィブラートを加え、万感をそこにこめる。極端な場合には、遠寺の鐘声の長く引くディミヌエンドを一曲として聴くこともできるだろう。現に尺八には一吹きの曲というものさえある。[23] 構造的な音楽はその全体を聴かなければならない。しかし楽器は変えることができる。たとえばバッハのフーガは、古楽器でも一九世紀以後のピアノでも、弾くことができる。もちろん音色は大いにちがうが、フーガの構造的な美は変らない。逆に音色の音楽の魅力は、全体を聴かなくても、それぞれの瞬間に、その前後から離れて鮮やかにあらわれる。しかし楽器を変えることはできない。たとえば能の大鼓と小鼓は、単にリズムを作りだすだけではなく、その音色に微妙なちがいがあり、それこそは音楽にとって決定的な要素であるから、決して両者を交換して用いることはできない。

日本の音楽家は、しばしば「間」を重視する。周知のように、「間」とは二つの音の間の間隔、時間的距離、沈黙の持続の長さである。その長さは、単位時間の整数倍として一定しているのではなくて、状況に応じて微妙に変る。あたえられた一つの状況の下で、沈黙の持続のいわば微分的な増減を調整するのが、「間」をとるということである。それはある時点でのある状況に対して、直接には前に鳴った音との関係において、次の音をいつ鳴らすかという瞬時の決定であり、その決定次第で今鳴らす音の効果が決まる。たとえば能舞台で小鼓の複雑なリズムが雰囲気を密にし、ある状況を作り出す。そこで大鼓の掛け声が入る。その掛け声に、いかなる「間」をとって、鼓の一撃がつづくか。別の言葉でいえば、鼓の音の前に、どれほどの沈黙の持続があるか。その持続のわずかな差こそは、観客の耳に何度聞いたかわからぬ型を響かせるか、それとも列帛の気合いをもって肺腑を貫くかを、決めるのである。そのとき音楽は「今」の瞬間に集約される。それより前に何があろうと、その後に何が来ようと、もはや何の関係もない。

構造は一曲の時間の流れの全体に係わるが、「音色」も「間」も、流れの部分、すなわちそれぞれの瞬間の現在に係わる。構造は音相互の関係であるが、「音色」は個別の音の性質である。音相互の関係は、個別の音については、その高さ・長さ・大きさのみに注目して構築することができる。地上に三つの物体を置いて三角形を作るためには、それぞれの物体について、その位置にのみ注目し、その他のあらゆる性質を無視できるようなものである。個別の音に豊富な表現力をもとめれば、その性質は高さ・長さ・大きさに還元されず、はるかに多様で複雑なものにならざるをえないだろう。今、音叉に近い単純な音を楽音とよび、遠い複雑な音を雑音とよぶとすれば、個別の音の表現力の追求は、雑音を志向することになる。楽器には固有の音色がある。ヴィブラートやトゥレモロを多用すれば、さらに複雑な音が得られる。それよりももっと複雑な音を加えるためには、たとえば三味線の絃を撥でこすったり、胴を撥で叩いたりすることができる。そういう技法は、三味線の音楽の雑音志向を示しているだろう(24)。

人間の声は、日常の会話では、楽器の音よりも複雑である。しかし歌手は音楽に用いるために声を訓練して変えることができる。訓練の方向は、二つあり、一方はその単純化であり、他方は複雑化である。単純化は楽音化であり、歌手の発声装置を楽器に近づける。「ベル・カント」はその典型的な場合であろう。複雑化は雑音化の徹底であり、歌手の声を日常生活の声のなかでも殊に複雑な一種のしわがれ声に近づける。そのことは、三味線音楽で楽器を雑音発生装置として使うことがあるのと、よく見合うだろう。一方には、人間を楽器として扱う音楽的伝統があり、他方には楽器を人間化する強い習慣がある。なぜならば一方には音楽の構造尊重主義があり、他方には音色表現主義があったからである。その背景は、おそらく、一方の時間的持続を構造化する文化と、他方の時間を構造化せず現在に生きる文化との対照であろう。

身体表現

日本の伝統的音楽の特徴、殊に徳川時代の芸術的な音楽において著しい傾向としてあらわれて来た特徴が、音相互の関係よりもそれぞれの音の微妙な性質、旋律よりも音色、全体の流れよりも部分の洗錬の重視にあったとすれば、その特徴は音楽と密接に絡んだ舞踊にどう反映していたろうか。ある時私は東京で蘆原英了とバレーの公演を見ていた。「日本の踊りの特徴は」、と蘆原氏は言った、「踊り手の二本の脚が同時に床を離れることは決してないということだ」と。たしかに日本の踊り手は、飛び上らない。バレーの踊り手は連続的に高く飛び上りながら大きな舞台を何度か一周する。能のシテは摺り足で小さな舞台を一周し、次の一周へ移る前に、しばしば静止の瞬間を挿む。その瞬間に面は、あるいは憂いに沈み、あるいは歓びに輝き、あるいは恨みに溢れる。華麗な衣裳は、その美しさのすべてを集めて、花のように開く。静中の動というよりも、むしろ動中の静、すなわち劇的なものの絵画的表現である。そういう絵画的表現は、バレーにはない。バレーでは、身体の動きが表現である。回転し、跳ね、空中に飛び上って舞台を一周する身体の軌跡。一瞬の静止もそこにはない。そこでの静止は、すべてが終った後の休止にすぎない。動くのは身体であるから、衣裳は全く二次的な、便宜上の約束にすぎない。おそらくバレーと能の舞いは、芸術的に洗錬された舞踊の両極端を代表するものであろう。一方には身体の運動と美しい力動感があり、他方には面と衣裳に包まれた人物の静かに変る姿勢と限りなく微妙な心理的表情がある。一方は永久運動へ向い、他方は運動を微分化して静止に近づく。踊り手を舞台へ誘い出すのは、一方では管弦楽の流れる旋律と躍動するリズムであり、他方では深い沈黙の底から響いて来る笛の音色である。

能役者の動きの極限としての静止は、歌舞伎にもひき継がれて、「みえ」となる。歌舞伎の舞台での捕物その他の闘争場面は、高度に様式化されて、ほとんど舞踏のように特定の型に従って役者が手足を動かし、武器をふり廻し、とんぼ返りを打つ。これが「たて」(殺陣)であり、「たて」の途中で役者は何度も「みえ」をきる。「みえ」は静止の姿勢で、多くは正面を向き、観客に向って、見栄えのする型を示す。そのとき「たて」の動きは中断され、主人公の役者は闘争の相手ではなく観客の方を見る。それは運動の単なる休止ではなく、運動が準備した感情の昂まりの頂上である。

しかし「みえ」に到達する過程のなかでも、いわば小さな「みえ」、一瞬の静止とその視覚的効果がくり返される。舞踏化された戦いは、小さな「みえ」の継起に他ならず、その一つの姿勢から次の姿勢へ移るために役者は身体を動かす。その間隔、すなわち身体の動く時間は短い。歌舞伎の「たて」の振り付け師は、京劇の俳優と語ったとき、歌舞伎では主人公が一つの姿勢から動に転じ、剣をもった腕を二度大きくふり廻せば、原則として次の姿勢に落ち着く、と言った。京劇の殺陣では二度ふり廻すどころか動きだしたら止らない。腕は風車の如く動いて剣や槍は宙に輪を描き、戦う主人公は舞台を縦横に駈け巡って休まない。孫悟空には大詰の「みえ」に到るまで静止の瞬間がない。彼の激しい動きは、それ自身の力動感によって訴えるのであって、静止した姿勢の絵画的効果へ向うのではない。京劇の殺陣は歌舞伎のそれよりもバレーに似ている。京劇の動きは、バレーのように、流れの持続を貴ぶ。歌舞伎の踊りは前後から独立した瞬間の姿勢を重んじる。舞踊におけるテンポ・ルバートとスタッカートの対照——それはもとより「たて」に限らない、あらゆる踊りと所作に共通の傾向であろう。また歌舞伎のみの特徴ではない。たとえば京舞の動きは、ある瞬間の、ある優美な姿で止るのである。

絵画のなかの時間

本来時間的な芸術である舞踊が、日本文化のなかで、絵画的効果へ向う傾向があるとすれば、同じ文化の生みだした絵画が、時間の表現へ向うこともある。一般に絵画は、あたえられたある時点での対象――たとえば人物や風景や草花――の「イメージ」を写す。絵のなかでは人物が老いず、花が散らず、時が流れない。しかし例外的には、時間の経過とともに変化する対象を、絵画によって表現することがないわけではない。そのためにはいくつかの異なる手法がある。

第一、異時同図。同じ一つの画面のなかに異なる時点での出来事を描きこむ。

第二、異時図並列。異なる時点での出来事の絵を時間的順序に従って並列する。それぞれの絵は壁に掛けることもできるし、壁に直接に描くこともできる(壁画)。壁面の少ない日本の家屋では、壁面の代りに襖《ふすま》を用いることがある(襖絵)。また巻物に時の経過を追って異なる場面を描くこともできる(絵巻物)。

第一の手法(異時同図)が用いられた例は、日本では少ない。しかし少数例はあり、たとえば《吉備大臣入唐絵巻》(一二世紀後半、ボストン美術館蔵)で、安倍仲麻呂の鬼が出現する場面。奈良時代に遣唐使として入唐した吉備真備《きびのまきび》を、唐人たちは高い楼門の上に閉じこめ、『文選』の解読や碁の名人との勝負で試そうとする。そのとき安倍仲麻呂の鬼が現れて主人公を助け、主人公は難題に答え、碁に勝ち、唐人たちを圧倒する。絵巻では図の右手に吹き荒れる風のなかの木立と、頭に角一本を生した裸の赤鬼が描かれ、左手に朱塗りの高楼があって、その上の室内に端坐した吉備真備と、今や衣冠をつけて官人の姿になり、窓際の回廊に近寄った鬼との対面が描かれている。鬼はまず嵐のなかに現れ、それから官人に化けて楼上に登ったはずだから、時間は一画面の右から左へ流れる。その過去(赤鬼の出現)と現在(対面)を一図のなかにまとめれば、両者の関係が明示される。左手の現在から見て、右手は過去であり、現在の出来事の意味、すなわち主人公の対面する相手が鬼であることは、過去の場面を参照することによって確認される。右手の現在から見れば左手は未来であり、現在の出来事の意味、すなわち鬼の出現の目的が主人公との対面であるということは、未来の出来事との関連において、またその関連においてのみ、あきらかになる。時間的に前後する二つの出来事を一つの画面に描きこむことの利点は、ここで十分に発揮されている。

西洋の中世絵画では、全く同じ手法がもっと頻繁に利用された。たとえば一五世紀中葉ジョヴァンニ・ディ・パオロの《天地創造と楽園追放》[25](一五世紀、メトロポリタン美術館蔵)では、左半分の上部に神、下部に同心円であらわされた世界が描かれ、右上部に林檎の樹立ち、下部にアダムとエヴァを追い出す天使が描かれている。西洋では時間が左から右へ流れるから、まず天地創造があり、その後で神はみずから創った人間を、その冒した罪の故に、楽園から追い出すという話になる。罪(すなわち原罪)は、蛇に誘惑されて禁断の林檎を食べたことである。なぜ全知全能の神が罪を冒すような人間を創ったのか、神は人間の創り方に失敗したのではないか、という疑問が当然生じるだろう。しかし神は自由意志を持った人間を創ったのであり、林檎を食べるか食べないかはその自由意志による選択だから、全知全能ではない人間が罪を選んだとしても、それは人間の責任で神の責任ではない。楽園追放という出来事の意味は、単なる偶然でも、気まぐれな天使のいじめでもなくて、人間自身の罪の結果であり、罪が成立する条件は、第一に自由意志、第二に人間の不完全性である。その二つの条件が人間に備わっているということは、楽園追放がその時点でどれほど詳しく描かれていても理解できず、それより前に起こった出来事、すなわち天地創造の場面を参照することによってのみ理解できるのである。神は天地を創造し、神自身に似せて人間を創ったのだから、人間には自由意志がある。しかし人間は神と同じに創られたのではないから、不完全である。したがって自由意志による選択を誤り、罪を冒す。

このような創造者と被造者との関係は、もちろん、遣唐使の先輩と後輩の関係よりも複雑であり、はるかに普遍的な意味をもつ(26)。また二つの場面を隔てる時間も、天地創造と楽園追放との間では、おそらく、鬼が現れてから楼上に登るまでの一刻よりも、長いはずであろう。しかし、同一画面のなかに前後する二つの出来事が描かれ、その一方が他方の意味を限定するという構造は、共通である。西洋の絵画と日本のそれとの大きなちがいは、西洋ではこのような異時同図の手法が多用されたのに対し、日本では比較的その用例が少ないということである[27]。その背景には、おそらく、現在の出来事の意味を、過去または未来の出来事との関連のなかに見ようとする傾向が、一方では強く、他方では弱いということがあるにちがいない。

二つの出来事が前後して起こった場合ではなく、多数の出来事の前後関係、たとえば戦争の経過や主人公の生涯を通して流れる長い時間を、絵画的に表現するためには、どういう手法を用いるか。西洋絵画では、その場合にも異時同図を用いるか、時を異にする出来事をフレスコやモザイックで同一の枠内(たとえば天井や壁面)に収めるか、額縁の画面を同じ室内にならべて容易に見渡せるようにするか、——いずれにしても多くの場面を見渡せるように工夫することが多い。もっとも典型的にはキリストの生涯であろう。「誕生」から「十字架の道」や「磔刑」を通って、「復活」まで。それを見渡すことによって、眼前の一場面を、過去および未来の場面と関係づけ、その意味を理解することができる。キリスト磔刑の意味は、ゴルゴタの丘の場面だけからは理解できず、「誕生」以来の過去と「復活」の未来とを参照することによってのみ決まるのである。

日本では一二世紀後半から絵巻物が発達した。幅の狭い長い巻紙の右から左へ、原則として時間の順序に従い、物語や合戦の成り行き、寺社の縁起や高僧の行跡のしかるべき場面を描く。場面はそれぞれ独立していて連続しない(出来事の時だけではなく、所もちがい、人物もちがうことが多い)。場面と場面との間に文字による説明を挿むこともある。絵の技法と様式には主として二種類を区別することができる。一つは《源氏物語絵巻》(一二世紀前半)に典型的なように、墨の下絵に濃い絵具を塗り、その上に引目鉤鼻などの細部を細い墨の線で描き入れるもので、「つくり絵」、または「女絵」という。もう一つは墨の描線を主とし、人物の表情や姿勢、動作などの戯画的な写実に優れ、淡彩を加えたもので、「男絵」という。《信貴山縁起》(一二世紀後半)はその代表的な作品である。しかしこの二つの様式の区別は便宜的なもので、「女絵」の色彩と「男絵」の粗描とを兼ね備えた作例も多い。その傑作は《伴大納言絵巻》(一二世紀後半)や《吉備大臣入唐絵巻》(同上)である。また時代は下るが、《一遍上人絵伝》(一三世紀末)も、「女絵」と「男絵」との区別を超えて、社寺の景観や自然の風景、また社会の広汎な階層に及ぶ風俗を、写実的に描く。

絵巻物は一場面を広げて見、見終った絵を巻いて、次の場面を広げるという操作をくり返しながら眺めるように出来ている。右手にはすでに見た部分が巻かれ、左手には未だ見ていない部分が巻かれていて、どちらも現在眼前にある場面とともに見ることはできない。現在は過去からも未来からも切り離されている。時間は過去から未来へ向って流れていて、そこにいくらかの記憶と予感はあるが、現在の出来事の参照基準として、過去や未来があるのではない。絵巻物の時間は、等価的に並ぶ現在の連鎖である。われわれは次から次へ場面を広げて見るので、場面の連鎖の全体を見渡して場面相互の関連を確認することはない。それぞれの場面は、自己完結的で、前後の出来事に係わらず、その線や色彩、群集の動きや風景の情緒がそれ自身として訴える。たとえば応天門の火事。われわれの眼の前には画面全体をおおって渦巻く火焔のすさまじい迫力がある。たしかに火事が伴大納言の指図によって起こったという情報は、前後の場面を見なければわからないが、その情報は炎の色彩のほとんど「フォーヴ」的な迫力には何らの影響を及ぼさない。またたとえば熊野の山々と寺院配置についての情報は、それを描いた《一遍上人絵伝》の一場面において完結していて、他の場面とは関係がない。絵巻物は時間を構造化するのではなく、あたえられた任意の時点(における世界)の自己完結性を強調するのである。ここでは人が現在に生きる。

日本の絵巻物は中国の画巻の影響の下に始まったとされる。現存する最古の絵巻は、《絵因果経》(八世紀後半)で、中国から輸入された画巻を模して写経所の画師が作ったという。(28) その後平安時代に「日本化」がおこり、技術が洗練されて、一二世紀以後には大いに流行した。記録に残る作例が四〇〇種以上、現存するものが百数十種ある。(28) 西洋には絵巻と称すべきものがほとんどないから、(29) 絵巻物の背景に日本文化のある種の特徴を想像することができるだろう。時間の絵画的表現の日本における主要な手段は、絵巻物であり、絵巻物は現在を過去および未来から切離して独立に完成しようとする強い傾向をもつ。すなわち詩歌においても、音楽においても、著しい「今」の強調が、——別の言葉で言えば全体よりも「部分」への強い関心が、絵画の場合にもあらわれているのである。

（1）マックス・ヴェーバーの原文は、次の通り。

Die weltgeschichtliche Tragweite der jüdischen religiösen Entwicklung ist begründet vor allem durch die Schöpfung des "Alten Testamentes". Denn zu den wichtigsten Leistungen der paulinischen Mission gehört es, dass sie dies heilige Buch der Juden als ein heiliges Buch des Christentums in diese Religion hinüberrettete und dabei doch alle Züge der darin eingeschärften Ethik als nicht mehr verbindlich, weil durch den christlichen Heiland ausser Kraft gesetzt, ausschied, welche gerade die charakteristische Sonderstellung der Juden: ihre Pariavolkslage, rituell verankerten. (Max Weber, "Die Wirtschaftsethik der Weltreligionen. Das antike Judentum I." in *Gesammelte Aufsätze zur Religionssoziologie III*, J. C. B. Mohr (Paul Siebeck), Tübingen, 1963. S. 6–7.)

原文も訳文も、読み易くはないが、十分に明瞭である。両者を比較すれば、二つの言語の語順のちがいに配慮した訳者の周到な工夫はあきらかであろう。

英仏語の著者にくらべれば、ドイツ語の著者には長い文(sentence)を組みたてる傾向が目立つ。しかしここでは、ヨーロッパ諸語の間でのちがいには、立ち入らない。

(2) 文の骨格、主要な内容から離れて、部分をそれ自身として強調するために、日本の歌人は古くから枕詞や懸詞(かけことば)や縁語を多用した。枕詞は主として音声的な効果を生むもので、たとえば「あしひきの(山)」や「ひさかたの(空)」のように、新たな意味を文に加えるものではない。かけことばは、同音異義の利用で、たとえば「まつ」を松と待つ、「ふる」を降ると古る、の両義に用いる類である。その微妙な面白味は、短歌全体の意味内容とはほとんど係わらない。縁語は、たとえば「白雪」と「思ひ消ゆ」のように、連想による一種の言葉あそびである。このような技法は、三一音節の短詩型の内部においてさえも、主旋律の形を変えずにその色彩を豊かにする装飾音のような効果を生む。

「百人一首」で有名な藤原実方(?—九九八)の歌(『後拾遺和歌集』、「恋」)は、「燃ゆる思ひ」を相手に伝えられず、相手方はそのことを知るまい、という。すなわち「かくとだにえやは言ふ」と「さしもしらじなもゆるおもひを」が主旋律である。その間に挿入されたかけことばの一句、「いふきのさしもぐさ」——「言ふ」と「伊吹」山、「さしもぐさ＝ヨモギ」と「さしも」知らじ、は、装飾音で、主旋律に意味上の何ものもつけ加えない。

　かくとだにえやはいふきのさしもぐささしもしらじなもゆるおもひを

しかし音声の流れは、そのために滑らかであり、同時に、「燃ゆる思ひ」とは何の関係もない伊吹山の「イメージ」を喚起する。京都から東へ向かえば、伊吹の彼方に濃尾平野がひらける。一〇世紀の貴族＝歌人にとって、伊吹山こそは別世界との境であったろう。山頂にはどこよりも早く雪が来て、その雪が消ゆる時は、夏である……日常生活の彼方へ人を導き、時間を忘れさせる「燃ゆる思ひ」と、別世界への道標であり、季節の指標である「伊吹」の「イメージ」は、遠く呼応しないわけでもないだろう。短詩型内部の修辞法として、おそらくこれはもっとも洗錬された例の一つである。

短い文の組み合せによる建築的構成ではなく、その並列による長い文は、時間の流れとともに継起する出来事を叙述するのに、すばらしい効果を発揮することがある。その典型的な例は、徳川時代の浄瑠璃にあらわれる二人の恋人の「道行」である。たとえば「此の世のなごり、夜もなごり」で始まる有名な『曾根崎心中』道行の冒頭。「一足づゝに消えてゆく」霜柱、「聞きをさめ」の鐘のひびき、水の面に映る天の河と七夕の二星の契り、――そういう「イメージ」が次々に列挙され、「我《われ》とそなたは女夫星《めおとぼし》、必ず添ふとすがり寄り、二人が中に降る涙」というところへ収斂する。列挙される「イメージ」は、二人が道中に出会う経験――足もとの霜、鐘のひびき、星の空――の継起に対応し、それぞれの経験が、彼らの生きる最後の時間の流れのなかで、全く等価的である。道行の修辞法は、太棹の撥の冴えと相俟って、美しく抒情的であるばかりでなく、等価的な「今」の連鎖としての時間の概念を明示する。

(3)　陸游の「関山月」(一一七七年春、成都での作。一海知義注『中国詩人選集二集8　陸游』、岩波書店、一九六二年所収、三三―三四ページ)の冒頭の二行、

和戎詔下十五年
将軍不戦空臨辺

「和戎」すなわち南下する金との和約を宣言した南宋の皇帝の詔が下って一五年経ったというのである。その間南宋の将軍は戦わなかった。「詔下」が過去の出来事であるのは「十五年」からわかるので、「詔下」に過去を示す語尾変化や助動詞があるからではない。「不戦」・「臨辺」は、一五年前から詩の現在までの持続的状況を言う。前後関係からそのことはあきらかである。しかし前後関係(文脈)を除いて、この第二行のみを取り出せば、将軍が戦わずして辺境に臨んでいたのか、いるのか、いるだろうなのか、全くわからない。

「文化大革命」の頃、中国の街に大書してあった標語の一つに、「農業学大塞」というのがあった。標語には前後の文がない。文体はしばしば古典文に準じる。大塞は地名で、当時悪い自然条件にも拘らず農業が成功した所として有名であった。この標語は、二つの名詞、「農業」と「大塞」、及び動詞の「学」から成る。このような場合には動詞の示す行動(または出来事)が、過去・現在・未来のいつの事なのかを一義的に知ることはできない。時称なし、法(mode)なし、日本語でいえば、「学べ」なのか、「すでに学んだ」のか、「今学んでいる」のか、「明日学ぶことが望ましい」のか、誰にもわからない。確かにわかるのは、二つの概念、「農業」と「大塞」との間に関係Rがあり、Rは時間線上の前後とは係わらないただ一語一字「学」によって定義される、ということだけである。

(4) ヨーロッパ語の時制は、過去・現在・未来を明瞭に区別するばかりでなく、過去(または未来)の二つの出来事の、前後関係をも明示する。すなわち文法上の過去と大過去との区別は、多くのヨーロッパ語に共通の特徴である。日本語文法にはその区別がない。

さらにたとえばフランス語では、過去の出来事に持続的なものと、時間線上の一点に凝集しておこるものとを区別し、前者を動詞の半過去(imparfait)後者を単純過去(passé simple)で表す。ラシーヌの『フェードゥル』、第一幕、三場、恋する女主人公の眼は見えず、声も出なくなった。Mes yeux ne *voyaient* plus, je ne *pouvais* parler; は半過去である。それより早く彼女の姉(妹)アリアドネーは、テーセウスに棄てられたナクソスの島の海辺で死んだ。Ariane, ma sœur, de quel amour blessée/Vous *mourûtes* aux bords où vous *fûtes* laissée! は単純過去である。この二つの過去の区別は、英語にはない。イタリア語はフランス語に、ドイツ語は英語に準じる。

フランス語における半過去と単純過去の用法のちがいは、もとより出来事の持続性にのみ還元されるわけではない。より詳細な説明は、フランス語文法の書にみられる。たとえば、Mourice Grevisse, *Le Bon Usage. Cours de grammaire française et de langage français*, 4ème édition, Librairie Orientaliste Paul Geuthner, Paris, 1949.

(5) 現代日本語の「そろそろ出かけよう」、狂言の科白(一五・一六世紀頃)の「そろりそろりと参らう」は、ヨーロッパでは、《On s'en va?》(仏)、《Amdiamo.》(伊)、《Gehen wir jetzt?》(独)などと表現される。いずれも動詞は直接法現在である。英語では未来形が用いられることもある(《Shall we go now?》)。「出かける」のは近い未来の事で、その事への「誘い」は現在の意図である。どちらに注意するかによって、動詞は未来形または現在形をとり得るだろう。あるいは、この場合の近い未来が、あまりに近いので現在をそこまで延長する、と考えることもできる。前記のドイツ語文には、今(jetzt)の語があって、動詞は現在形、英文にも今(now)の語があり、動詞は未来形である。「近い未来」は、かぎりなく現在に近い未来であって、そこでおこる事は、現在または未来の動詞のいずれを用いても叙述できる、ということであろう。いずれにしても、同じ状況で同じ「メッセージ」を伝えようとするときの日本語助動詞「う」は、明瞭な未来を示すのではない。

(6) 「桐壺」の冒頭。『日本古典文学大系14 源氏物語(一)』、山岸徳平校注、岩波書店、一九五八、二七ページ。傍点加藤。

(7) 『平家物語』、巻第十一、那須与一。『日本古典文学大系33 平家物語(下)』、高木市之助他校注、岩波書店、一九六〇、三一八―三一九ページ。

(8) 『日本古典文学大系56 上田秋成集』、岩波書店、一九五九、九六―九七ページ。

(9) 上田秋成の『雨月物語』には、ルネ・シフェール教授のフランス語訳がある。Ueda Akinari, *Contes*

de pluie et de la lune, traduction et commentaires de René Sieffert, Connaissances de l'Orient, collection UNESCO d'œuvres représentatives. Gallimard, 1956. 引用の一節に相当する訳文は、同書 pp. 108–109.

「あるひは異しみ、或は恐る恐る、ともし火を挑げてここかしこを見廻るに、……」原文冒頭の一句、「あるひは異しみ、或は恐る恐る」を人物の心理状態を修飾する形容詞と解すれば、この文が含む二つの動詞「挑げ」と「見廻る」は現在形である。フランス語では、その二つの動詞を過去形(「単純過去」)にしなければならない。

《Interdit et terrifié, il *éleva* sa lampe et *regarda* autour de lui, de-ci, de-la,……》

また原文の現在形が訳文では過去形になるばかりでなく、過去の出来事の前後関係に配慮し、必要に応じて「大過去」が用いられる。「吉備津の釜」はその末尾に主人公の死後の状況を要約して、目撃者が彼の死を生家へ報らせ、生家は妻(鬼)の実家へ申し送った、されば結婚を凶とした陰陽師の占いは正しかった、と述べる。過去の出来事の前後関係は、まず占い、次に事件、最後に事件の申し送りであるが、日本語の文は助動詞「ぬ」と「けり」を用いて、過去形とする。「ぬ」と「けり」はそれぞれの動作の完了を意味するが、動作または出来事の前後関係には係わらない。

「此事井沢が家(主人公の生家)へもいひおくりぬれば、涙ながらに香央《かさだ》(妻の実家)にも告《つげ》しらせぬ。されば陰陽師の占のいちじるき、御釜《みかま》の凶祥《あしきさが》もはたがはざりけるぞ、いともたふとかりける……」(前掲書、九七ページ)

フランス語では「単純過去」と「大過去」を区別しなければならない。

《Il *fit* annoncer ces événements à la famille Izawa, et celle-ci avec des larmes, *informa* à son tour les Kasada. Ainsi l'oracle du magicien *avait été* remarquable, et le mauvais présage du chaudron *s'était révélé* exact……》

「大過去」は英独語でも用いられる。用法は原則として同じ。実際には微妙なちがいもあるが、それはここでの話題ではない。ここでは、過ぎ去った時間を分節化する傾向が主要なヨーロッパ語の文法には著しいが、日本語の文法にはない、ということに注意すれば足りる。

(10) 「寒山拾得」『山椒大夫・高瀬舟、他四篇』、岩波文庫(一九六七年版)所収、一二九ページ。傍点加藤。

(11) 『日本文学全集13　夏目漱石集(一)』、筑摩書房、一九七〇、四四〇ページ。

(12) フランス語文法における「半過去」と「単純過去」の用法のちがいは、実際にはもっと複雑である。ここでは原則的な大枠を述べたにすぎない。詳しくは前掲(注(4))などの適当な文法書に見ることができる。

(13) 『万葉集』と『新古今和歌集』の比較対照についての立ち入った議論は、私の『日本文学史序説』(一九七五・一九八〇)にも見ることができる。『加藤周一著作集4　日本文学史序説(上)』(平凡社、一九七九)の一六〇—一七二ページ。『日本文学史序説(上)』(ちくま学芸文庫、一九九九)の一七〇—一八二ページ。

(14) 「和歌というものが成立するのは古今時代においてで、万葉時代の「和歌」は「和《こた》ふる歌」の意であって「やまとうた」の意ではない。たんに歌であったものがなぜ古今時代に「やまとうた」になるかといえば、歌が貴族の文壇で「からうた」つまり漢詩と張りあうようになったからである」西郷信綱『日本古代文学史』、同時代ライブラリー、岩波書店、一九九六、一二八ページ。

(15) たとえば古代ギリシャ・ローマにおいて然り、またカーリダーサの『リトゥ・サンハーラ』(季節のめぐり)も四季の歌であるよりは恋の歌である。オマール・ハイヤームの『ルバーイヤート』も主として酒と女の頌歌である。酒はしばらく措き、日本の短歌が恋歌を中心とするのは、全く例外ではない。例外はむしろ中国の場合である。もちろん中国の詩に男女の愛を主題とするものがないわけではない。しかし六朝唐宋の大詩人の作品に、恋愛の詩は甚だ少ない。たしかに陶淵明には官能的な恋愛詩があるが、それは淵明の作品のなかでも例外である。平安朝以来の日本で人口に膾炙した作に白居易の「長恨歌」があるが、それも中国の詩の全体のなかでの例外であろう。李杜の主題は、主として政治・戦争・旅・自然・酒・友情(男の間の)であって、妻子や妓女に触れることはあっても、恋人に及ぶことは稀である。その事情は、蘇軾や陸游においても変らない。

日本人は短歌ばかりでなく、後には(殊に徳川時代には)俳句を作り、漢詩を作った。漢詩が中国の古典を範としたことはいうまでもない。その多くは政治抜きの中国詩に似る。漢詩の型によって恋愛の讃歌を作ったのは、一五世紀の詩僧一休宗純と一八世紀の市河寛斎だが、彼らは極端な例外である。

俳句にも恋愛の句は少ない。一般に漢詩の影響は限られているから、歌に恋が多く、句に恋が少ない理由を、大陸文学との関係にもとめることはできないだろう。そのことには後に触れる。

(16) 鴨長明はその『無名抄』のなかで、勅撰集に一首が採られることを願って神社に祈った男の話を書いている。夢にカミが現れ、一首が勅撰集に入れば死んでもよい、という男の言い分を聞きとどける。さてその願いが実現すると、男は死ぬのが怖くなって、カミと再交渉するためにもう一度神社へ出かけるという話である。

また『無名抄』は、女房に呼びとめられ、古歌の上の句を言われて、下の句を思い出せぬ場合に、どう対処すべきかというきわめて実用的な助言も記している。要するに生返事をして、なるべく早く現場から脱出すべし、ということだが、そういう困惑の機会がいかに多かったかは、察するに足りるだろう。

(17) 平安末・鎌倉初、一二―一三世紀の交替期における貴族支配層の側に、いかなる歴史意識が成立したかは、ここでの問題ではない。ここでは、『愚管抄』(一二二〇年頃)よりも早く、限られた領域においてではあるが『古来風躰抄《こらいふうていしょう》』(一一九七―一二〇一年)や『近代秀歌』(一二〇九年)に一種の歴史意識の成立が認められる、ということに注意すれば足りる。歴史意識は単に過去の事実の列挙を可能にする知識ではなく、過去の事実相互の間に、前後関係以上の何らかの関連――しばしば「発展」、「進歩」または「頽廃」などとよばれるところの――を見出そうとする意志である。定家は過去にどういう歌があったかを叙述しようとしたのではなく、現在彼が歌の理想とする地点からふり返って、過去の歌の変遷にある秩序を与えようとしたのである。

(18) 具体的な例として『水無瀬三吟』(百韻、一四八八年)の冒頭六句を引く。「三吟」とは作者が宗祇(一四二一―一五〇二年)、肖柏(一四四三―一五二七年)、宗長(一四四八―一五三二年)の三人だからである。作者、句、季節の順序で、六句は次の通り。宗祇の発句は、後鳥羽院の「見わたせば山本かすむ水無瀬川夕べは秋と何思ひけん」(『新古今和歌集』、巻一、春歌上、三六)を踏まえる。

宗祇　雪ながら山本かすむ夕べかな　春
肖柏　行く水とほく梅にほふさと　春
宗長　川風に一むら柳春見えて　春
宗祇　舟さす音もしるきあけがた　雑
肖柏　月や猶霧わたる夜に残るらん　秋
宗長　霜おく野はら秋は暮れけり　秋

(19) 広末保氏は「連句の付句は、前句にこたえると同時に、次の瞬間、他者によって奪い取られ転じられる運命にあることを予期して発想される」と言い、「意表をつき転調しながら増殖していく」西鶴の散文、その「完結志向を拒否するという不安定な形式」と比較している(『西鶴の小説——時空意識の転換をめぐって』、平凡社選書、一九八二、一一一—一二一ページ)。また短篇小説集『置土産』について「付合の方法による連句の形式に、この集の形式は似ていなくもない」と言う(同書、四三ページ)。

『好色一代男』は一人の主人公の生涯の経験を、幼時から年代順に語るという意味で、短篇集ではない。しかしその各章各挿話は相互に独立していて、全体を通しての主人公の、身体的および精神的な成長とか変貌とかいうことの叙述は、ほとんどない。広末氏はそこで作品のなかでの時間の「未完結」性を強調している(同書、一四一ページ)。連句と比較してはいないが、もし比較すれば、その「未完結」性は連句にも認められるはずのものであろう。「未完結」とは「終りの視点がない」ことであり、終りのない時間は構造化されず、相互に関連がなく、自己完結的な現在の連鎖である他はないからである。付句の現在、または挿話の現在。西鶴の『好色一代男』はその意味でもカサノヴァの『回想録』に似ている。

『好色一代女』は、『好色一代男』とは異なり、一人の女の年齢とともに変ってゆく経過、その栄華と凋落を語る。そこでの時間は、単なる現在の時点の連鎖ではなく、完結性を備え、構造化された持続である。しかし『好色一代女』は、もしそれが西鶴の作品であるとすれば、西鶴の小説のなかでの唯一の例外である。

(20) 「随筆」には、相当するヨーロッパ語がないばかりでなく、翻訳も少ない。現代の随筆選集というべきものの最初のヨーロッパ語訳は、おそらく、Barbara Yoshida-Kraft, *Blüten im Wind*, Erdman, Tübingen, 1981 であろう。編訳者ヨシダ=クラフト氏は、その巻頭に、「随筆」の概念がヨーロッパ語で言う

「エッセー」とは全くちがって、「建築的構造」を備えないこと(keine architektonischen Formen)を指摘し、しかしそれこそは「今日まで変らない日本のエッセイストたちの基本的態度」である(bis heute unveränderte Grundhaltung des japanischen Essayisten)と言っている。その内容は、つまるところ、「各瞬間における生活」(das Leben in jedem Augenblick)を反映し、それは終りであるとともに新たな始まりであって、止まるところなく変貌してゆくのである(unaufhaltsame Verwandlung)。「随筆」を説明してこの巻頭論文ほど簡にして要を得、正確にして明快な文章は、国の内外に少ないだろう。『枕草子』の著者以来「今日まで変らない日本のエッセイストたちの基本的態度」が、日本文化の本質的な部分と係わらないはずはない。その本質は、まさに随筆において典型的なように、一方では「建築的構造」の不在として、他方では「各瞬間における生活」への志向として、あらわれるものである。

(21) Peter Nathan, *The Nervous System*, Fourth Edition, Whurr Publishers Ltd., London, 1997, pp. 251-252による。ピーター・ネイザン氏は、そこで“complete aphasia with no disturbance of musical abilities”の例として、五〇歳代に二度脳卒中を経験し、言語の理解能力を失ったロシアの作曲家、V. G. Shebalinに触れている。彼はその後一つの四重奏曲と一つの交響曲を含む九曲を作曲した。

(22) 江戸時代の音楽の起源は、はるか以前にさかのぼるのが普通である。たとえば能楽。楽器についても同じ。たとえば尺八は唐朝に興り、朝鮮半島を通って、七世紀に日本に伝えられた、とされる。中国では一三世紀頃に亡びるが、日本では生きのびて今日に到る。吹奏楽器のなかでも殊に尺八の音の強さや持続は、直接に奏者の呼気の性質に係わり、その意味で楽器が身体の延長であるかのような印象をあたえる。たとえば怒りの感情の身体的表現は怒声であり、その激しい呼気はそのまま尺八の音を定める。その正反対の楽器はピアノである。奏者の感情は、身体を媒介としないで、高度に抽象化された音に結びつく。ピアニストの指の動きは、感情の身体的表現ではなく、ピアノの機構を通して、しかるべき音を作りだすための手段にすぎない。尺八とピアノを組み合せて《遭遇》を書いたとき、石井マキ氏は単に東西の楽器の出会いを考えていたのではなく、もっとも身体的な表現ともっとも非身体的な抽象的表現との対決を考えていたのであろう。尺八は合奏に用いられることもあるが、主として独奏楽器であり、歌唱を伴わない。琴の場合には、歌唱を伴うことも、伴わないこともある。

三味線は一六世紀に沖縄から輸入され(蛇皮線)、改良されて、主として劇場(人形劇、歌舞伎)や遊里(芸者)に普及した。歌唱・語り・舞いを伴わず、純粋の器楽として三味線が独奏または合奏されることはほとんどない。

(23) 武満徹は《ノヴェンバー・ステップス》で用いた尺八について語っている。一息の尺八の音は二分間もつづくことができる。「しかも実に美しい音で、様々な色彩に満ち」、その「たった一つの音のなかにあらゆるものがあ」り得る。「一つの音はすべてを映し出すことができるということ。一つの音が宇宙全体になりうるということ」、それはあきらかに壮大な建築的構造ではなく、そこに「始まりもなければ、終わりもない」(武満徹『遠い呼び声の彼方へ』、新潮社、一九九二、四三—四四ページ)。

(24) 武満徹が尺八とともに好んだ和楽器は琵琶である。彼は琵琶の「美しいノイズ」について語っている。

琵琶が西洋の楽器と異なる大きな特徴は、西洋楽器がその近代化、機能化の過程で捨てていった雑音を、積極的に音楽的表現として使うということです。　(前掲書、二一〇—二一一ページ)

琵琶の場合にその雑音をつくり出す装置(「さわり」)は、「楽器の首《ネック》の一部に象牙が張られ、その上を四、五本の弦が渡っている」、「その象牙の部分を削って溝をつくり、その溝の間に弦を置き、弦を撥《はじ》くと、弦が象牙の溝に触れて雑音を発する」というもので、三味線にも受けつがれている。雑音が加わって、「複雑な味わい深い音色」を出す。西洋の音楽とちがって、日本の音楽では、その音色が旋律よりも大事にされる、「そういう方向へ日本の音楽は向かった」と武満はいうのである。

(25)　Giovanni di Paolo, *The Creation of the World and the Expulsion from Paradise*, ca 1445(Robert Lehmar Collection, Metropolitan Museum, New York).

(26)　神による世界の創造(および支配)と、その世界のなかでの悪(または罪)の存在を、人間の自由意志を媒介として説明しようとする神学的議論は、多様で複雑である。その議論の内容は、歴史的過程と人間の行為についての決定論と、自由意志の主張との対立と見なすこともできる。すなわちキリスト教神学の枠を超えて、近代哲学にとっても普遍的な意味をもつ。たとえば物理化学的自然法則とその貫徹、因果論的連鎖。したがって決定論が一方にあり、他方に自由意志と行為の責任を前提とする価値の体系があって、そのどちらも容易に否定し難いという問題である。しかしここでは、神学的、さらには哲学的な議論の内容に立ち入らない。

(27)　「異時同図」は日本仏教の図像にも少ない。現存する最古の一例は、有名な「玉虫厨子」(七世紀、法隆寺蔵)の「捨身飼虎」の図である。シャカの前身である王子が、山中の崖下に餓えた仔連れの虎を見つけ、虎を救うためにみずからの身体をその餌とする。図は崖の上に、衣服を脱いで樹の枝に掛ける王子を描く。崖の中腹には、頭を下にして飛びこむ王子。崖下では虎が王子の身体を喰いはじめている。この三つの場面は、右から左へではなく、上から下へ流れる時間の軸に沿って配置され、その垂直軸が主人公の運動の方向とも重っている。三つの場面を過去・現在・未来に割りふれば、現在の光景(飛びこみ)が、足を滑らせたというような偶然の結果ではなく、みずからの決断にもとづく行動であるということを、過去の場面(脱衣)が示す。その行動の目的が虎の餌であるのは、未来の事件(虎が喰う場面)によってあきらかである。しかしこの過去・現在・未来の区別は、「捨身飼虎」という一つの事件内部のきわめて短い時間の細別にすぎない。その事件の起った時点を「今」とよぶとすれば、「今」の微分化が、事件の性格を説明するのに役立つということで、物語の時間的構造化とは全くちがうし、歴史の全体とその特定の事件との関係の明示ということともちがう。「捨身飼虎」が見事なのは、王子の身体の落下、すなわち物理的な運動の描写が鮮やかだからであり、仏教的な時間の観念を明らかにしているからではない。

(28) 田口栄一「絵巻」『日本美術史事典』、平凡社、一九八七、九六—九八ページ。

(29) 西洋での例外はいわゆる「バイユーの綴織 Tapisserie de Bayeux」(一一世紀後半)であろう。横長七〇メートルほどの布に、ノルマン人のイングランド征服の経過を刺繡する。戦闘場面を含む多くの場面が左から右へ時間的順序に従って連続的に配列されている。

第三章　行動様式

神仏習合から脱信仰へ

一方には伝統的共同体(家族、ムラ、その他)の始めなく終りなき時間があり、そこから「現在に生きる」態度が当然の習慣となる。そこでは季節が循環するから春の花は再び咲き、秋の収穫は来年もくり返される。しかし他方では誰の人生にも始めがあり終りがある。個人の人生の時間は分節化され、幼年期から老年期へ向ってくり返しなく、休みなく、流れる。人生の時間は循環しない。

その二つの時間は、いかに統一され、たとえ統一は不可能であるとしても、いかに調和的に、共存できるか。個人が共同体へ高度に組み込まれた伝統的社会では、その生涯は共同体の歴史に吸収され、その一部となるだろう。人は死んでも、家名は続く。家名の持続は、家族の構造の持続の象徴であり、構造的枠組が変らぬかぎり、そのなかで起こる出来事のすべてはそれぞれの時点での「今」に帰する。ムラの時間の流れは等価的な「現在」の連鎖であり、その連鎖の一環が個別の成員の一生である。しかし家族が次第に解体し、ムラ共同体が資本主義社会の会社その他の組織的集団に移行した近代日本では、二つの時間、すなわち分節化されない無限の時間と、有限の、したがって多かれ少なかれ分節化されざるをえない時間の感覚が、人々の行動にどう影響したか。人々は場合に応じて二つの時間を使いわけて来たようにみえる。一方では、過去の不幸を「水に流し」、未来の災害の可能性を忘れ、日常身辺の「今」を愉しむことに注意を集中したが、他方では、先祖の過去にこだわり、子供たちの未来のための教育に投資し、社会保障の不完全な条件の下で老後に備え、収入に対して高い貯蓄率を維持して来た。そういう現在主義と計画的行動の二面性は、少なくとも心理的には、また少なくともある程度までは、必要に応じて「今」の長さを調整することによって処理されて来たと思われる。

具体的な「今」は決して瞬間ではない。より長い時間の流れに対しての短い幅の時間である。一〇〇〇年単位で区切られた時間に対しては一〇〇年が短い。「今世紀」と言う場合の「今」は一〇〇年の幅をもつ。一年に対しては「今月」、一ヶ月に対しては「今日」。「今」の幅は、対照とする時間――そこに過去と未来が含まれる――の長短によって、伸縮するだろう。無限の歴史的時間に対しては、すべての有限の時間が十分に短い「今」であり得る。たとえば個人の一生は、「この生涯」であり、「今生」である。「短命し」は古今東西の詩人に共通の感慨であり、人によって異なり文化によって異なるのは、そのことに対する態度のちがいである。

第一の態度は、短い人生の「今」を共同体(家族・ムラ・国など)の長い持続性に置き代えることである。その未来は、変らない枠組を前提とし、外挿法が可能で、予想の幅の狭いものでなければならない。しかしそういう未来は——現在を、その内部で起こる事象の予想可能性によって定義するとすれば——、現在の延長と考えることもできる。ここでの未来は、実は未来ではなく、引きのばされた「今」である。ここでは見かけの未来のための計画が、「今」の時間幅内部での計画にほかならない。

第二に、「今」の時間幅を人生とすれば、人生の内部では計画が成り立つ。すなわち老後に備え、今日働いて、明日に老後の愉しみを期待することができる。この場合の人生、すなわち短い命は、「今」の連鎖と考えられていて、その「今」を細分化すれば、青年期や老年期となる。現在に生きることと、人生の計画性とは——その計画が人生を超える未来の目標、たとえば極楽浄土へ向うのではなく、人生内部において完結するかぎり——、相互に矛盾しないし、十分に共存することができるのである。

第三の態度は、一種の快楽主義(hedonism)。命短し、死ねばどこへ行くかわからぬから、心にかなうように生きるのが好い、という。昨日にこだわらず、明日を思いわずらわず、今日の日を楽しみ、今宵遊べるときに遊んでおけ。(1) ここには計画を容れる余地がない。——この考え方は古今東西の詩人や哲学者たちの作品にあらわれている。エピクロスから陶淵明まで、一休宗純(2)からロンサールまで。もちろん彼らが何をもって楽しみとしたかは、それぞれちがう。エピクロスの「アタラクシア ataraxia」は内心の「平静」であって、古代中国人たちが「燭を秉《と》って夜遊ぶ」と言った遊びや、飲酒や美食を含むところの行楽ではなかった。またそのいずれもが、「命短し」と結びつけて一休やロンサールが詠《うた》った恋愛――それが楽しみに尽きるかどうかは別として――とも、全くちがうことは、いうまでもない。共通なのは、彼らがその人生の実際や現実の行動様式を叙述したのではなく、目標を掲げ、理想を語り、願望を歌ったということである。一切の計画を放棄し、現在において自足し、楽しめるときに楽しむという目標、または理想、または願望。実生活においてその原則に徹底することは、おそらく短い特殊な時間を除けば、誰にもできないだろう。少なくともある程度の計画性、すなわち近未来の状況の予測と、それに応じて現在何らかの行動をすることなしには、飲食も、社会生活も、成り立たない。煮炊きの前には、あらかじめ薪炭を用意しなければならず、舟で遠い任地へ去る友人を送るためには、あらかじめ特定の日時に舟着場へ出向かねばならない。しかし計画性を離れた現在の楽しみを、死すべき人間の条件の自覚的表現として正当化し、重要な価値の一つとすることはできる。

このような価値観は、日本文化の歴史のなかでは、徳川時代から、殊にその中期から、町人社会で顕著になった。それは同時に文化の世俗化の時代でもある。一七世紀以前に日本仏教は神仏習合を特徴としていた。神仏習合は、仏教の宗教的超越性を排して「現世利益」を強調することで大衆のなかへ浸透したのである。一三世紀にはいわゆる「鎌倉仏教」が神仏習合を破って仏教信仰の超越性を強調する。しかしそれも、その後次第に神仏習合の広大な土壌に吸収されていった。その過程の最後にあらわれたのが、キリスト教弾圧の手段として徳川政権が導入した寺請制度である。寺請制度はすべての大衆を仏教寺院に強制的に登録する。寺院組織は行政機関の一部となり、タテマエとしての仏教の大衆化は徹底するが、同時に強い信仰の体系としての仏教は、もはや時代の支配的な価値の中心ではなくなった。儀式(葬式など)、神仏習合がとりこんだ祖先崇拝(盆、仏壇)、さまざまの風俗(祭りなど)、全く現世的な願かけ等は、多かれ少なかれ仏教と係わって徳川時代から今日まで残る。しかし徳川時代の文学や美術は、ほとんど全く世俗的である。西鶴や芭蕉の作品が仏教に係わるところは甚だ少ない。性的快楽を追った世之介は、その話の最後に、ドン・ファンのように地獄に堕ちるのではなく、媚薬を積んだ舟をしたてて女護ヶ島へ出発する。旅の詩人芭蕉が寺を訪れたのは「後生」を願うためではなく、その境内の青葉若葉を愉しむためであった。琳派の代表的な絵画の主題は、草花、八橋と杜若《かきつばた》、さらには流水と紅梅白梅などであって、仏画に類するものは、光琳のダルマ図を例外として、ほとんどみられない。狩野派の画題は多岐にわたり、仏教的題材を含まぬではないが、その障壁画の装飾的な大画面が描くのは、主として松、虎、花鳥、四季の風景などである。大雅・蕪村から鉄斎まで、いわゆる文人画も、主として空想的な風景を描き、釈教に及ぶことは少ない。一八世紀中葉から一九世紀中葉にかけて隆盛をきわめた浮世絵木版画が、美人・役者・力士などを江戸町人の日常見なれた背景とともに描き出していたことは、いうまでもない。その他には、春画と、後になって加わった写実的風景画があって、いずれも仏教とは関係がない。要するに徳川時代の美術は、同時代の文学よりもはるかに身辺的、日常的、感覚的な世界のなかで、その独創性を発揮したのである。仏教の世俗化はそこで徹底したと考えるほかはないだろう。日本文化は工業化または「近代化」とともに世俗化したのではなく、工業化以前、「近代化」以前に、同時代の西洋とはくらべものにならないほど世俗化していた。

仏教渡来以前からの民間信仰を今かりに神道とよぶとすれば、神道のカミは神仏習合を通して、または仏教を離れて独立に、大衆のなかに生きつづけた。それは全国的な信仰体系ではなくて、地域的な信仰である。各地方にはその地方の多数のカミが居る。カミは人間の死後の救済には係わらず、現世において生活を保護したり、願いを遂げさせたり、幸福をもたらしたりするとともに、条件次第では災害を集団や個人にあたえることもある。しかし人間相互の関係に介入して、社会的慣習を超えた規範を要求せず、特定の倫理的価値を正当化しないし、権威づけない。要するに神道を背景としては、仏教的な彼岸の代りに死後の魂の救済を説くことはできないし、此岸の倫理的な秩序を構築することもできない。

そこで徳川時代の武士支配層は、彼らを頂点とする階層的社会の秩序を支え、各人の行動を束縛する規則を正当化する「イデオロギー」として、儒学、殊に朱子学を採用した。儒学は本来政治倫理的な言説の体系であって、仏教とは異なり、神道の場合と同じように死後の世界に係わること甚だ少ない。しかし神道とはちがって、殊に朱子学はその合理的かつ抽象的な概念から成る壮大な形而上学的宇宙のなかに、倫理的規範の体系を位置づけていた。その教説と語彙は武士社会のなかに浸透し、内面化され、彼らの倫理の支柱となったのである。支配層の「イデオロギー」は、時とともに階層社会の下方へ拡散し、町人社会も農民層も多かれ少なかれその影響を受ける。しかしもとは武士層から押しつけられた儒学の禁欲的な倫理が、そこで武士社会においてと同じように内面化されることはなかった。儒学的規範は外からのもの、いわば外面的な秩序、すなわち「義理」として、町人社会の内部において価値として自覚された「人情」と対立する。その対立は、近松の浄瑠璃にもあきらかなように、「人情」の自然と、「義理」のしがらみ、すなわち不自然との対立としても意識されていた。しかし近松も歌舞伎作者も町人社会も、「人情」の価値を主張はしたが、その立場から「義理」の価値を否定しようとしたのではなかった。彼らは与えられた法と秩序に挑んだのではない。徳川時代の町人は革命的市民ではなかった。そして彼らの「人情」は、一方で心中へ向う情熱を含み、他方で遊里へ向う快楽主義を含むものであった。いずれにしても儒学が提供し得るのは、現世の秩序であって、いかなる意味でも彼岸の救いではなかった。

文化は世俗化した。確実に存在するのは、もはや来世ではなく、現世だけである。しかも現世における感覚的快楽を抑圧する絶対的な倫理体系が町人社会にはなかったとすれば、そこで快楽主義が、物質的条件の許すかぎり、大きな潮流となるのは当然であろう。それこそはまさに「人情」の自然であり、「人情」の自然であるからそれは正当化され、受け入れなければならない。人生は短く、感覚的楽しみはさらに短いから、人は現在に生きるのである。

第四に、「命短し」に対してはもう一つの態度、「厭離穢土、欣求浄土」があり得る。現世が「穢土」で、死後の世界が「浄土」ならば、命は短ければ短いほどよいだろう。極端な場合には、みずから進んで命を縮めるというところまでゆく(「普陀落《ふだら》」信仰)。これは平安朝を風靡した浄土教の考え方であるが、権力を独占した上層貴族(藤原氏)にとって現世は「穢土」ではなかった。彼らは穢土から浄土へではなく、此岸の浄土から彼岸の浄土への連続を望んだのである。此岸の浄土の象徴は、藤原道長の別荘をその子頼通が一一世紀の中葉に寺とした宇治の平等院である。「極楽いぶかしくば、宇治の御堂を礼すべし」。此岸と彼岸との断絶が強調され、「穢土」から「浄土」への移行が、アミダ信仰の内面化(念仏)を通じて保証されるようになったのは、一三世紀以後、法然・親鸞の浄土真宗が次第に大衆のなかへ浸透しはじめてからである。一五―一六世紀には、アミダ信仰を中心として西方浄土を確信し、死を怖れない一向宗徒が、武士権力の弾圧に頑強に抵抗していた(一向一揆)。しかし徳川時代に文化が世俗化したことは先に触れた通りである。一七世紀前半に島原で幕府の大軍に抵抗した農民一揆を精神的に支えたのは、もはやアミダ信仰ではなく、キリスト教の十字架であった[3]。その後の日本で宗教戦争の再び起こることはなかった。その理由は農民一揆がなくなったからではなく、宗教的超越者への信仰がなくなったからである。

かくして徳川時代の文化は、彼岸ではなく此岸へ、来世ではなく現世へ向かい、そこで社会秩序の持続と人生の有限を、現在の感覚的経験において統一する。幕藩体制が永遠に続くものと考えられていたということは、それがひきのばされた現在を意味したということである。二〇年ごとに建て替えられる伊勢神宮(式年造替)は、古代建築の形式を保存する現代建築であり、歴史的な過去を代表するのではなく現在の神道の中心を象徴する。別の言葉でいえば、遠い過去から変らぬ形式の持続は、そのまま現在の世界のなかへ組みこまれる。すなわち過去の現在化であり、そのかぎりで、またその場合にのみ、意味をもつのである(伊勢参り)。またたとえば能の場合も同じ。能は徳川時代において、今日においてもなお、遠い昔からの形式をもつ現代劇である。他方、個人の人生の有限性は所属集団の持続性に吸収され、集団の持続性はその過去を現在化するとともに、未来をも現在化する。高度の芸術的表現が、「今」の、さらには瞬間の感覚的経験へ集中してゆく傾向については、すでに触れた。俳句の「スナップ・ショット」、音楽の「間」と一瞬の音色、歌舞伎俳優の「みえ」……。徳川時代の、殊にその後半期、江戸町人の文化では、現在主義的傾向が、人々の日常的行動や、飲食の嗜好にまでも浸透していた。江戸ッ子は宵越しの金を持たない、という。一瞬の辛味の激しいわさびは、江戸前の料理を特徴づけていた。[4] 幕府が何度もくり返した「改革」さえも、その場かぎりの反応で、何らの長期的計画を含むものではなかった。幕藩体制が永遠ならば、未来は計画的に設計する必要がなく、自動的な現在の延長にすぎない。西洋の艦船が沿岸にあらわれはじめた一九世紀前半にさえも、圧倒的多数の人々は日常生活のなかで、装飾的工芸を洗錬し(たとえば根付)、風俗をしゃれのめし(川柳、狂歌)、歌舞伎の舞台により強い感覚的刺戟をもとめ(たとえば鶴屋南北)、木版画の微妙な色彩(広重の夕暮れの空)やしばしば倒錯的な物語性(国芳)に興じていた。江戸は現在に生きていたのである。

大勢順応の貫徹と内面化

明治政府の若い指導者たちは、明瞭に定義された「富国強兵」という目標をもっていた。またその目標を達成するための手段として西洋の技術・制度を模範とする「近代化」の必要を自覚していた。彼らは敏速に、計画的に、行動し、幕府を倒して政権を掌握してから五年以内に、政治権力を中央に集中し、先進国へ大使節団と留学生を派遣して情報を蒐集し、軍備の近代化のために徴兵制を導入し、政府指導の全国的な学校教育制度を計画し、財政の基礎を税制改革によって確保した。[5] すなわち彼らが幕府から権力を奪うために掲げた「尊皇攘夷」の標語の「尊皇」を発展させると同時に、「攘夷」とは正反対の「欧化」政策を採ったのである。

薩摩・長州藩出身の指導者たちにとって、「尊皇」(天皇制)は明治維新(一八六八年)前後の持続性を、「攘夷」から「近代化」＝西洋化への政策転換は豹変を意味する。なぜ豹変したか。維新前後、すなわち権力掌握前後で、状況が変ったからである。なぜ豹変することができたか。「攘夷」ナショナリズムは、彼らにとって目的ではなく手段だったからであり、内面化された原理ではなく、外面的で実用的な道具だったからである。内面化された原理、あるいは絶対的な価値への「コミットメント」は、状況の変化に応じて容易に変ることがない。それとは異なり、道具は本来状況の変化に応じて取り換えることのできるものである。たとえば四季の寒暖に応じる衣裳のように。思想的、政策的な豹変は、一種の衣替えである。

しかし思想的衣替えは、必ずしも便宜主義(opportunism)ではない。「攘夷」は単に政策ではなく、「ナショナリズム」の感情とむすびついていて、全く内面化されなかったのではなく、多くのいわゆる倒幕派の「志士」たちにとって一種の信念と化していた。そうでなければ「攘夷」の標語が幕府攻撃の道具としても有効に働くはずはなかったであろう。彼らはある時点のある状況の下では「攘夷」ナショナリズムを信じていたのであり、別の時点の別の状況の下では「文明開化」を信じるようになったのである。何事も信ぜず、その場で自己の利益に好都合な標語や「イデオロギー」を手当り次第に喋っていたということではないし、その意味での便宜主義者ではない。そうではなくて変化する状況への適応を束縛しないような仕方で、政治思想や「イデオロギー」や価値体系に係わっていたのだ。したがって原則の一貫性はない。必要に応じて過去を切り離し、昨日の攘夷論者が、なめらかに今日の開化論者、極端な場合には西洋崇拝者に、変身するのである。すなわち現在に生きる、あるいは参照枠組としての過去を無視して現在にのみ係わる。明治の指導者たちが未来に係わったのは、未来を現在の事業の延長と考えたからであり――外挿法を排除すればすべての計画は成り立たない――、その意味で未来はあらかじめ現在に含まれていたからである。

「攘夷」ナショナリズムが明治政府の指導者たちによって多かれ少なかれ道具化されていたことは、維新後に彼らがためらわずにそれを捨てたことによってあきらかである。「尊皇」の方は、維新前後に一貫していたから、それほどあきらかではない。これには二つの可能性が考えられる。彼ら(の少なくとも一部)は、状況の如何にかかわらず天皇の神性を信じていたのかもしれない。あるいは天皇中心主義を、倒幕の手段として有効だと考えたばかりでなく、維新後の中央集権的な民族国家の建設のためにも有効な道具とみなしたのかもしれない。「攘夷」についてあきらかな思想または「イデオロギー」を道具化する傾向――それは現在中心主義の一つの表現と解釈することができる――が、人々の思考・行動様式の基本的な性質であるとすれば、第二の可能性、すなわち天皇中心主義も実用的な、しかも重要な手段とみなされていた可能性があるというのは、大いに説得的であろう。もちろん政治的指導者のなかにも、信念として天皇中心主義に固執した人々も居たにちがいないし、また統一国家建設のための手段の一つにすぎないと考えていた人々も居たはずである。現に中央でも地方でも国学の影響を受けた知識人層には、天皇の神性を主張する人物が少なくなかった。しかしたとえば明治国家の有力な設計者の一人、大久保利通はその激しい宮廷批判から察するに、神聖な天皇のために明治国家を作るのではなく、国家の必要に応じて天皇制を作ろうとしていた。国家の必要とは「国内同心合体」、すなわち統一の中心である。(6)

いずれにしても薩長の「志士」たちは「尊皇攘夷」を掲げて幕府を倒し、「攘夷」を捨て「尊皇」を温存して明治政府の役人となった。幕臣たち、かの百万と誇称した旗本たちは、どうしたか。彼らはあらかじめ「攘夷」の到底行われ難く、したがって「開国」のやむをえざることを知っていた。維新を境としての彼らの豹変は、「攘夷」から「西洋化」への政策の転換ではなく、徳川将軍から天皇への忠誠の対象の転換であった。忠誠の対象の切り換えは必ずしもなめらかではなく、小規模の武装抵抗も各地におこり、明治政府の軍隊に「鎮圧」された後「帰順」した例も少なくない。当時(一八六〇―六八年)幕府外国方にあって幕末の情勢を目撃した福沢諭吉は、薩長士の叛乱軍が江戸に入った時、佐幕の武士の行動について、「脱走して東国に赴く者あり、軍艦に乗て箱館に行く者あり、或は旧君の御跡を慕ふて静岡に移り、或は平民に堕落して江戸に留る等、様々に方向を決する其中に、当初、佐幕第一流と称したる忠臣が、漸く既に節を改めて王臣たりし者亦尠《すくな》からず(7)」と書いていた。脱走し、静岡に赴き、江戸に留って薩長政府に仕えるのを潔しとしなかった人々は、「静岡の俸禄、口を糊するに足らず、江戸の生計、嘗て目途なしと雖も、義を捨つるの王臣たらんよりは寧ろ恩を忘れざるの遺臣となりて餓死するの愉快に若かずとて、東海俄かに無数の伯夷叔斉《はくいしゅくせい》を出現した(7)」という。しかしそれも長くは続かず、武装抵抗は敗れ、恭順謝罪降伏の後は相次ぎ争って職を新政府にもとめるようになる。「今日、一伯夷の官に就くあれば、明日は又二叔斉の拝命するありて、首陽山頭、復た人影を見ず(8)」。

福沢諭吉は明治十年丁丑(一八七七年)、西南戦争が起こるや、昨日まで維新の英雄として讃美していた西郷隆盛を賊として罵倒する世論の大合唱と豹変ぶりに、痛烈な批判を加えて『丁《てい》丑《ちゅう》公論』を書き、そのなかで維新当時の見聞を想起したのである。なぜか。大勢順応主義がいずれの場合にも共通するからである。

明治初年の有志者も、明治十年の有志者も、等しく是れ日本人にして、今日に於ても世上に風波あれば、其大勢に従ふの趣《おもむき》は毫も異同ある可らず(9)。

大勢順応主義の「大勢」とは、集団の成員の大部分が特定の方向へ向う運動である。その方向に明瞭な目標があることもあり、目標が定かでないこともある。いずれにしてもその方向の是非曲直ではなく、多数がその方向へ動くということのみによって、運動に加わり、同調し、付和雷同するのが、大勢順応主義である。大勢順応主義は、大勢を強め、大勢に順《したが》う者が多くなればなるほど、さらに多くの人々が大勢にまきこまれる。すなわち大勢順応主義は常にいわゆる「雪ダルマ効果」を伴う。

人々が大勢に従うのは、もちろん現在の大勢にである。大勢は時代によってその方向を変える。天下の大勢は、一時代には「攘夷」に、次の時代には「開国」であった。「米英撃滅」の次には米国追随、「撃ちてしやまん」の次には平和主義、保護貿易による経済成長の次には市場開放と「自由化」が、大勢となる。各時代にはそれぞれの大勢がある、というよりも、大勢の方向が変らぬ期間を一時代とみなすことができる。その期間は長いこともあり、短いこともある。当面の時代、歴史的時間の現在、大勢の方向が決定する今日は伸縮するが、昨日の立場から切り離して、今日の大勢に、それが今日の大勢であるが故に、従おうとするのが大勢順応主義の態度である。その態度は昨日と今日の立場の一貫性に固執しない。別の言葉でいえば、大勢順応主義は集団の成員の行動様式にあらわれた現在中心主義である。

大勢順応主義は、もちろん、日本文化に固有の特徴ではない。それはどういう社会にもあったし、今もある普遍的な現象である[10]。しかし伝統文化のなかに「大勢順応」対「信条の自由」、「集団主義」対「個人主義」の鋭い緊張関係を含む社会と、個人の信条や良心の自由の強い主張をその支配的な価値体系のなかに含まない社会とでは、大勢順応主義のあらわれ方がちがうのは当然である。過去と現在の政治的立場の一貫性の基礎は、つまるところ個人の信条と良心の一貫性であるから、個人の信条と良心の代りに集団の規範が機能する社会では、過去には過去の、現在には現在の大勢に従うのに抵抗がない。そこでは誰もが「無私」の立場から公に殉じ、「和」を貴び、にぎにぎしく、みな一緒に、めでたく豹変し、変節することができる。それは便宜主義ではない。「私利」を目的として原則を捨て、立場を変えるのが便宜主義であるとすれば、これは「無私」をタテマエとし、原則を捨てて立場を変えるのではなく、立場を変えることを原則とするのである。その結果大いに私利にも適うことになったとしても、少なくとも当人のみるところ、それは偶然の、いわば幸運にすぎない。

福沢はこのような状況を観察して、「明治初年の有志者も、明治十年の有志者も、等しく是れ日本人にして」と書いた。その含意は、「大勢に従ふの趣《おもむき》」に関するかぎり、明治の有志者ばかりでなく、日本人一般について、「毫も異同」がなかろう、ということである。果してそうか。維新当時の大勢順応主義は、一〇年後に少しも変らなかった。福沢の「日本人」は一〇〇年後には変ったか。少しも変らなかったようにみえる。

たとえば一九三七年。当時の大勢は、もはや「文明開化」でも「大正デモクラシー」でもなく、また国際連盟や軍縮でもなくて、対外的には中国侵略戦争へ、対内的には軍部独裁体制へ向っていた。「大勢」は維新以後三転し四転した。しかしその各時期に「日本人」は、きわめて少数の例外を除き、それぞれの大勢に従った。福沢のいわゆる「大勢に従ふの趣」は、まことに「毫も」変らなかった。三六年に陸軍の「皇道派」は「軍事クーデター」を企てて、権力奪取に失敗したが、同じ陸軍の「統制派」はその失敗を巧みに利用し、権力機構の内部において陸軍の影響力を画期的に拡大することに成功した。[11] 果して三七年には東京の中央政府の意思を無視し、陸軍は中国との戦争を拡大した、盧溝橋から上海へ、上海から南京へ。この大勢に議会で抵抗したのは、三六年に「粛軍演説」を行い、四〇年に対中国政策を批判して衆議院から除名された斎藤隆夫ただ一人である。彼の除名に反対したのはわずかに七名にすぎず、社会大衆党は党決定に反して欠席の形で斎藤の除名に反対した一〇名を除名した。周知のように、その後に来るのは、「大政翼賛会」と太平洋戦争であった。

そのとき詩人中原中也は、雑誌『文学界』(一九三七年五月号)に、痛烈無残な詩「春日狂想」を書いていた。その一行に曰く、

ハイ、ではみなさん、ハイ、御一緒に――

これは集団所属性の確認であり、社会学者のいわゆるtogetherness、すなわち「みなさん

御一緒」主義の戯画化である。要するに「御一緒」が重要なので、御一緒に何をするかが重要ではない社会。その社会の、「私」を無くして集団に奉仕するのを美しいとする美学。その美学は、集団の目的を問わない。故に二〇世紀の日本において幕末維新を回想した「日本人」にとっての英雄は、幕府を倒そうとして戦った「志士」たちであると同時に、幕府に雇われてその志士たちを暗殺したテロリスト集団「新撰組」でもあった。志士たちが高唱したのは「至誠」である。「新撰組」が掲げたのは「誠」の一字を大書した旗である。誠心誠意行えば、何を行ってもよろしい、いや、そもそも何を行うかはその時の、現在の、大勢に従えばよろしい。

しかし「みなさん御一緒」主義によって行動することと、それを対象化し、意識化し、相対化することとは、別の二つのことである。前者は集団に埋没した圧倒的多数の人々の行動様式であり、後者は集団から独立した精神の自由の働きである。そのことは帝国議会においても、「詩壇」においても、変らない。三好達治は、中原について、「生来のつむじ曲り」といったことがある。[12] しかしそれはどっちでもよいことだ。「つむじ曲り」であろうとなかろうと、決定的に重要なのは、彼が大勢の外に自立していたということであり、それ故に誰も歌わなかったであろう主題をとりあげたということであり、その主題こそは日本社会の基本的構造の一面にほかならなかったということである。[13]

果して一九四五年夏、「日本人」は集団的に、「みなさん御一緒」に、ほとんど一晩で生れ変った。昨日までの軍国日本の臣民は、今日の焼跡の平和主義者となった。「鬼畜米英」を叫んでいた隣組の活動家は、マッカーサー元帥の崇拝者に変った。万世一系の天皇陛下さえ、おそれ多くも、人間天皇に変身する。天下の大勢は、また急変した。「一億総懺悔」という都合のよい標語が発明され、戦争を指導した者も、指導された者も、若者を戦地へ送り出した者も、送られて海に沈みジャングルに餓死した者も、老いも若きも、男も女も、十把ひとからげに、「みなさん御一緒」に、過去は水に流し、今日の大勢に順応することになった。大勢はあまりに急に、あまりに正反対の方向へ変ったので、それまで軍部のお先棒をかつぎ、いくさを煽るのに勇みたっていた作家や詩人のなかには、しばらく「虚脱」状態に陥った者もあり、「実情を知らされていなかった」と呟く者もあらわれた。西洋の「近代」を「超剋」するはずであった哲学者のなかには、直ちに気をとりなおして、「無」の弁証法を駆使し、保守党と共産党の絶対矛盾を止揚したところの社会民主主義に文化国家——それが何を意味するかは別として——日本の将来がある、という論文を書いた人さえ居る。突然の変化に現実とのつながりが断たれたのであろう。しかしきわめて少数の例外を別にすれば、総じて日本社会の全体は、誰も明瞭な責任をとることなく、一つの大勢への順応から別の大勢への順応へ、抵抗なく、なめらかに、自然に、移行した。福沢の見た「日本人」は、忠誠の対象を徳川将軍から天皇へ切り替えるのにあまり大きな困難は感じていなかった。私は、昨日まで天皇のために命を賭すとまで言っていた「日本人」が、占領下の天皇の「人間宣言」を、静かに、平然として、当り前のことのように受け入れるのを見ておどろいた。彼は「天皇はカミ」と信じていたのだろうか。もし信じていなかったとすれば、そのために命を賭することはできないだろう。もし信じていたとすれば、天皇自身の「カミでない」という言葉を全く平然と受け入れるはずはないだろう。この矛盾を解くためには、「カミ」の概念と「信じる」という動詞の意味論に立ち入るほかはない、とその後の私は考えるようになった。しかし今はそのことに立ち入らない[14]。

戦前・戦中・戦後の日本に住んで、この国の変化を直接に経験し、観察し、分析していたフランスの通信社(Avas)・新聞社(Le Monde)の記者ロベール・ギラン Robert Guillain は、敗戦・占領に伴っておこった日本人の態度の急変について次のように言う。

新しい日本が表舞台に登場し、一見、昨日の日本とは連続が欠けている。この変身には裏切りのかけらもない。この国民は「インスタント族」であって(ce peuple est instantiste)、いわば「振り子のように動く」のだ。自分に罪があったことを日本人は決してまともに認めはしないだろうが、そのつぐない方は、自分の行いをつうじて、「悪しき」日本を過去へ追いやるとともに、善行をつむことを本心から、夢中にさえなって望む「良き」日本を、生れ変りの術によって(par réincarnation)出現させる……[15]。

「インスタント」は瞬間であり、「インスタント族」は要するに現在主義者である。現在主義者は、「悪しき」日本、すなわち現在から見て悪しき大勢の支配していた日本を「過去へ追いや」り、現在に関係のないこととしてその大勢に従った過去の責任をとらない。その代り、「良き」日本、すなわち現在において支配的な「良き」大勢に従う。それは一見便宜主義のようであるが、実はそうではない。現在の大勢を「本心から」、「夢中になってさえ望む」のである。この「本心から」、「夢中になってさえ望む」という見方は、著者の日本と日本人に対する愛着の表現であるよりも、むしろその現実の洞察の鋭さ、深さをあらわしているだろう。本心から望むのであって、便宜上順応するのではない。「日本人」の大勢順応主義の要点は、順応の内面化であり、昨日は天皇の神性を信じ、今日は天皇の人間であることを信じる、ということである。

近代日本についてここに引いた福沢諭吉と中原中也とロベール・ギランの証言は、つまるところ現在の大勢に順応する「日本人」の態度の一貫性を示すのに十分であろう。それは現在主義——ギランによれば instantiste の態度——を背景とし、しばしば順応の行動そのものを価値として内面化するのである。別の言葉でいえば、順応の行動が原則であって、その他に行動の規範的原則はないということになる。

しかし大勢は個人にとって与えられた条件であり、個人がそれを動かすことはできない。しかも大勢の方向を知り得るのは現在においてであり、未来の大勢がどの方向へ向うかは測り難い。そこで現在の環境に注意を集中し、環境の動き＝大勢の変化に鋭く反応する。個人ばかりでなく大きな社会のなかでの特定集団も、同じような行動様式をとる。たとえば企業は、一般に、市場を操作しないで――そうできるのは大企業である――、市場の変化に反応する。行動の主体が国家である場合にも、国家は一般に、自己周辺の国際的環境の現状から最大の利益(国益)をひきだすように行動する。すなわち現状に対する反応の連鎖が、一般に小国の対外政策の歴史である。しかし大国は現状に反応するばかりでなく未来の状況が自国に有利になるように環境に働きかけ、環境を変えようとする。環境の範囲は小国にとっては小さく、大国にとっては大きい。国際的環境を変えるための手段は、政治的、経済的、軍事的または文化的であって、それらの手段による影響力は小国において弱く、大国において強い。大国と小国の区別は、環境を操作するための手段の強弱によっても定義することができるが、また行動様式が国際的環境の未来を計画するか、現状への反応にとどまるか、ということによっても定義することができる。

二〇世紀の後半には、「大国」をどう定義しようとも、米国と八〇年代末までのソ連邦が「超大国」であった。日本国は経済的な影響力により大国の一つとなった。しかし対外的な行動様式は典型的な小国のそれであり、あたえられた周辺の情勢の変化にそれぞれの時点で反応してきたが、情勢を有利に変化させるためにみずから「イニシアティヴ」をとることはほとんどなかった。未来への計画を伴わない現在当面の反応である。たとえば一九七一年米国の「イニシアティヴ」による「米中接近」がおこり、その新しい東北アジア情勢に日本が反応して、七二年田中内閣は北京の中国政府と国交を結んだ。日中関係についてさえも、広くは「冷戦」、狭くは「中国封じこめ」政策の枠組を破ろうとする「イニシアティヴ」をとったのは、米国政府であって日本政府ではなかった。それどころか日本側は、米国の態度の変る可能性すら想像できず、いわんやそれに対する何らの準備もなく、「頭越し」の政策の変化に――神よ、「日米運命共同体」に祝福あれ――「ショック」を受けたのである。(16)

戦後日本の外交政策に関しては、もちろん、さまざまの要因を考慮しなければならない。二・二六事件の一九三六年以後敗戦の四五年まで陸軍は事実上外交を無視していた。四五年から五二年まで占領下の日本には外交権がなかった。五二年から「冷戦」の終った八九年まで、日本は「米国追随」に徹底していた。ということは、事実上外交的な「イニシアティヴ」をとる余地がほとんどなかった、ということである。日本国には半世紀以上も独自の外交政策を生みだす経験がなかった。そこでわずかにくり返されたのが、情勢の変化に対するその場の反応、応急手当て、その日暮し、先のことは先のこととして現在にのみこだわるということになったのであろう。しかしその背景には、おそらく、過去を忘れ、失策を思いわずらわず、現在の大勢に従って急場をしのぐ伝統的文化があった、と考えざるをえない。故にそこから抜け出すことは容易でない。

（1）「死去何所知　称心固為好」（『陶淵明全集』上・下、松枝和夫・和田武司訳注、岩波文庫、一九九〇、上、二一八ページ）。

（2）一休の詩は『狂雲集』に収める。しばしば淵明の「吟懐」に触れ、また愛の一夜に永遠を見る。ここでは引用して例示することをしない。

（3）領主の苛斂誅求に対して一揆をおこした島原と天草の農民の多くはキリスト教徒であった。その数およそ三万七〇〇〇、一六三七年から三八年にかけて、六ヶ月間、幕府が現地に送った板倉重昌の率いる九州諸藩の兵を破り、あらためて幕府が派遣した一二万四〇〇〇の大軍にも抵抗した。将軍の軍事顧問、柳生宗矩は、初めから、死を怖れない宗徒を相手とするいくさの容易でないことを見抜き、板倉重昌の戦死を予言していたという。新井白石の『藩翰譜』は、宗矩の警告の言葉を引いている。

「凡そ下愚の人、法を深く信じ候者は、我法を固く守りて、死するを以て、身の悦とす、是百千の衆、悉く期せずして、必死の勇士と変ずるの術にて候」。したがって「追討の御使」が軽くては勝てない。「すべて宗門に付て起る軍は、大事の者に候」（『新井白石全集（第一）　藩翰譜』、発行者吉川半七、東京、一九〇五、二五一ページ）。

「宗門」が一向宗であるかキリスト教であるかは、彼らの死に対する態度を変えない、ということに宗矩は注目していたのであり、その宗矩の言葉に注目した白石に私は注目する。宗矩や白石には、個別の出来事の観察から普遍的な法則の認識へ向かおうとする思考の習慣があった。

（4）伊豆・湯ヶ島温泉、旅館白壁荘の主人であった宇田博司（一九一三―一九九四年）はいう。

「枠で豪奢で刹那的な、いわゆる江戸文化、あるいは江戸っ子気質。その江戸で、にぎりずしに使用された天城のわさびは他国産のものより良質だった。わさびの香りと辛味がつんと鼻にきて泪がでる。そのくせ咽喉もとすぎれば一瞬にして辛味が消える。この特性が江戸で人気を呼び、高値を呼び、爆発的に天城わさびが売れだしたのである」(「湯みち」、一九九一、木下順二・塩田庄兵衛『白壁荘のあるじ 宇田博司さんと私たち』(白壁荘発行、一九九九)に再録、八ページ)。

(5) 中央集権の前提は、「廃藩置県」(一八七一年)である。近代化のためにはモデルとなる西洋諸国についての詳細な情報を得るのが急務である。故に政府指導者の半数を、多くの随員とともに、二年間も外国へ送りだす。すなわち「岩倉使節団」(一八七一—一八七三年)。一八七二年には、一方で「徴兵の詔」を発し、他方で「学制」を布告する(義務教育が法的に確立するのは、八六年の小学校令)。財政の基礎は、「地租改正」である(法案布告、一八七三年)。

明治日本の政治的体制は、その後「大日本帝国憲法」(一八八九年)で、その「イデオロギー」は「教育勅語」(一八九〇年)で、大枠が完成された。

(6) たとえば「大坂遷都建白書」(一八六八年一月、遠山茂樹『日本近代思想大系2 天皇と華族』、岩波書店、一九八八所収、七ページ)のなかで、大久保利通(一八三〇—七六年)は、宮廷に「数百年来一塊シタル因循ノ腐臭ヲ一新」すべしと言い、「是迄之通、主上ト申シ奉ルモノハ玉簾ノ内ニ在《おわ》シ」、少数の公卿の外には誰も拝顔できないのは、「天賦ノ御職掌」にもとり、「自ラ分外ニ尊大高貴ナルモノノ様ニ思食《おぼしめ》サセラレ、終ニ上下隔絶」するのは、「今日ノ弊習」であって、これをあらため、「従者一二ヲ率シテ、国中ヲ歩キ万民ヲ撫育スル」外国の帝王の如くしなければならない、と言った。

(7) 「丁丑公論」、『福沢諭吉選集第十二巻』、岩波書店、第三刷一九八九、二一八ページ。

(8) 同書、二二〇ページ。
(9) 同書、二二一ページ。
(10) たとえばヨーロッパ社会で、一五・一六世紀に絶頂に達した「魔女狩り」は、大衆の大勢順応主義と付和雷同性の典型的な表現であろう。一九世紀中葉にジョン・ステュアート・ミルが「多数の専制」を警告してやまなかった背景には、大勢順応主義の「雪ダルマ効果」があったにちがいない。またたとえば第二次世界大戦後に、デイヴィッド・リースマンは米国で産業消費社会の成立とともに、伝統的な「内面指向型人格」(inner-oriented personality)に「他者指向型人格」(other-oriented personality)、すなわち大勢順応型人格が、替りつつあることを指摘していた。これらはきわめて有名な例の二、三にすぎない。欧米社会における大勢順応主義の事実の記述、およびその批判ないし警告は、ほとんど無数である。
(11) 二・二六事件後の特別議会(五月)は、軍部大臣現役武官制を復活させた。これにより軍部は、その意に従わない内閣から軍部大臣をひき上げることができるようになった。すなわち制度的に内閣は軍部の道具となる。
(12) 三好達治『詩を読む人のために』、岩波文庫(一九五二年版)、一九九一、二二六ページ。
(13) 私はかつて「春日狂想」その他の中原中也の詩に注したことがある(『中原中也　近代の詩人10』、潮出版社、一九九一)。「春日狂想」に係わるここでの記述は、同書の注の一部分と重なるところがある。
(14) 「天皇はカミである、と信じる」の意味論については、簡単に私の考えを要約すれば、次のようである。
「カミ」の宣長の定義(『古事記伝』)は、祖先の霊から山川草木のすべてを含む。組織された国家神道以前のカミの定義としては正しい。しかし国家神道のカミは上下秩序に整理されているという点で以前のそれと異なる。天皇は単にカミなのではなく、最高のカミの子孫としてのカミである。しかしユダヤ・キリスト教的な神、唯一最高の人格神とはちがう。

「信じる」という日本語もヨーロッパ語(たとえばbelieve, croire, glauben)とは意味がちがう。一般に「信じる」には三段階がある。第一、強く信じる、第二、弱く信じる、第三、きわめて弱く、「思う」、「感じる」などとほとんど同義の「信じる」。第一と第三の意味の区別は、文脈から明らかである。ヨーロッパ語で「神を信じる」という場合と、「明日は雨だろうと信じる」という場合、日本語では「信じる」の第三の使い方はない。その代りに「明日は雨だろうと思う」と言う。またヨーロッパ語の第一の意味にも普通は使わない。普通日本語で用いられる「信じる」は第二の弱い意味においてである。「信じる」の強弱、すなわち第一と第二の意味のちがいは、何によって定めるか。さしあたり私は、「強く信じる」とは信じることが不利な状況でも信じつづけるような信念を意味し、「弱く信じる」とは、状況の有利・不利によって信念の変り得る場合を指す、と定義する。「弱く信じる」のは「信じない」のではない。「本心から」信じる。しかし状況が変れば信じなくなることを含意する。圧倒的多数の日本人は、かつて「天皇はカミである」と「弱く信じて」いたのであり、今日「天皇はカミでない」と弱く信じているのである。

(15) ロベルー・ギラン(矢島翠訳)『アジア特電 一九三七—一九八五——過激なる極東』、平凡社、一九八八、一四九ページ。原著はRobert Guillain, *Orient Extrême, Une vie en Asie*, Arléat-Le Seuil, 1986. p. 99.

(16) その頃日本国内に流行していた大衆映画に「座頭市」のシリーズがある。座頭市は幕末の盲人で居合抜きの名人である。彼は遠くの敵の動きを見ることができない。情勢の来るべき変化を予知できないから、安全保障の計画をたてることもできない。しかし敵が身近に迫れば、電光石火、仕込杖から刀を抜き、忽ち敵を切り倒す。ニクソン＝キッシンジャーの米中接近の後、田中角栄の反応は素早かった。彼の中国承認は座頭市の仕込杖に似ている。戦後の日本外交は座頭市型であった。

第二部　空　間

第一章　空間の類型

ヨーロッパ文明の空間

古代ギリシャ人にとっての「世界」は、ギリシャ本土を中心として、エジプト、ペルシャ、メソポタミア、パレスティナ、ロシアの南部、アフリカ大陸の北岸、イタリアにまで及んでいた。シチリアから黒海まで、その広大な世界の大部分を、前五世紀に旅したヘロドトスは、それぞれの地域の歴史と文化を叙述していた(『歴史』)。そこには人種、言語、信仰体系、風俗習慣、生産技術と生産物の多様性があり、地域相互の間には交易とくり返される戦争があった。ギリシャ人の住んでいた空間は、異文化に対して開かれた空間であり、その境界は、経済的にも、軍事的にも、また文化的にも、越え得るものであり、現に越境は外側からも内側からも不断に行われていた。彼らがギリシャ人と非ギリシャ人(「バルバロイ」)を区別するのに、居住地の境界によらず、話す言葉がギリシャ語であるかないかによろうとしたのは、そのことの反映であろう。彼らの「都市国家」には外部から導入した労働力、すなわち奴隷がいた。彼ら自身は遠征して、東地中海の沿岸地域に植民し、散在していた。プラトンはシチリアへ行き、アリストテレスはマケドニアの王の師伝となる。彼らは故郷とは異なる環境、異なる文化のなかでも常に妥当すると彼らがみなした考えや意見を語らざるをえなかった。

異文化との接触は、言説の普遍妥当性を要請する。もちろんその要請にどの文化もが応え得るとは——古代ギリシャ人がそうしたように応え得るとは——、かぎらない。たとえばフェニキア人は地中海周辺の世界の到るところで交易し、カルタゴを建設したが、ユークリッド幾何学やアリストテレス論理学を生みだしたのではなかった。しかし日常的な異文化との接触が、古代ギリシャ思想の普遍性が成り立つための一つの条件であった、と考えることはできるだろう。ギリシャ人たちは国際的市場へ輸出できるぶどう酒やオリーヴ油のような商品を生産するばかりでなく、外国人を説得できるような観念とその体系を作り出した。ローマ人とその多民族多文化帝国がそれを引きつぐ。ローマの亡びた後には、周知のように、アラビア人がギリシャ思想を継承した。中世ヨーロッパは彼らを通じてギリシャとアリストテレスを再発見し、スコラ哲学を発展させる。

しかし古代ギリシャが到達した高度の普遍性は、幾何学と論理学にのみあらわれていたのではなく、またたとえば造形美術の様式や装飾の「モティーフ」にもあらわれていた。ルネッサンス以後最近まで西欧の石造建築がパルテノン神殿のシンメトリーやギリシャの柱頭装飾から全く自由になったことはない。大理石の人体像についても同じ。石造彫刻の技法の影響は、遠くアフガニスタンに及んでガンダーラの仏像を生み、さらに「絹の道」を通って、中国北部の磨崖仏にさえもその痕跡を残した。ヘレニズムの文化的空間の境界は開いていた。

古代ユダヤ人は彼らの唯一神と対話しながら、あるいは神との双務的な「契約」に従いながら、民族の歴史を記録した。その歴史は、マックス・ヴェーバーが詳しく分析し、叙述したように、(1)多文化(エジプトからバビロンを通ってアッシリアまで)を吸収する過程であるよりは、その時代の中心的文化に対して周辺的存在としての自己同一性を確立してゆく過程であり、彼らの律法や儀式はそういう歴史的過程と密接不可分に結びついていた。他者を説得することではなく、自己を説得することが目的であり、彼らの律法や儀式は自己と他者を峻別し、民族共同体の境界を明確にし、歴史の一回性と特殊性を際立たせる。その閉じた文化的精神的空間の境界を外の世界へ向って開いたのは、ユダヤ民族の歴史を『旧約聖書』として取りこむと同時に、律法や割礼から切り離し、共同体の特殊性を越えて普遍的な価値の体系を作りだそうとしたキリスト教、殊に聖パウロの布教活動である、とヴェーバーは言う。(2)「人の義とせらるるは律法《おきて》の行為《おこなひ》に由らず、唯《ただ》キリスト・イエスを信ずる信仰に由る」(「ガラテヤ書」、二・一五)。もとより福音は割礼の有無に係わらず、ユダヤ人たると異邦人たるとを問わない。パウロはエーゲ海沿岸の異邦に旅し、伝道し、エルサレムで捕えられて、ローマで死んだ(「使徒行伝」)。彼はイベリア半島を志して果さなかったが、その後の宣教師たちは、一六世紀の「大航海時代」に、アフリカへ、中南米へ、アジアへ、すなわち全世界へ向った。布教活動に境界はなかった。

ヨーロッパの植民地帝国主義を推進し、支えたのは、何であったか。ここでその詳細に立ち入ることはできないが、少なくとも二つの要因を指摘することはできるだろう。すなわち経済的には資本主義、精神的にはキリスト教である。資本主義の特徴は、限界のない拡大再生産であり、その活動は原則として国境を越え、その領域は無限に膨張しなければならない。他方、キリスト教は、現世利益を約束するあらゆる地域的信仰体系に対して、普遍的な救済原理と合理的な「正義」の観念を説く。異民族の回心をもとめるその布教活動は、技術的に制約されることはあっても、原理的には常に正当化され、無制限に行われるはずのものであろう。布教は使命となる。世俗的な言葉で言い換えれば、「文明化の使命 mission civilisatrice」にほかならない。

膨張するヨーロッパ文明には、そのための技術的手段もあった。一九世紀には英仏の圧倒的な軍事力が、アフリカ大陸を二分して支配した。英国海軍は全世界の海に君臨し、大英帝国の版図は、インドからカナダまで、オーストラリアから香港にまで及んだ。他方、一七世紀以後のロシアは、英国が海上から拡大した支配を、陸上から実現し、東へ向ってはシベリアを、西南へ向っては北海から黒海を通って中央アジアまでの地域を併合して、インドと中国を除くアジア大陸のほとんど全域にわたる大帝国を建設した。[3] 北米では一八世紀に英国から独立したかつての植民者たちが、原住民を征服して西部へ向う運動をはじめていた。西部の向うには、ハワイがあり、フィリピンがあったと考えることもできるだろう。北では広大なアラスカをロシアから買収し、南ではメキシコを侵略して、その国土の半分近く(テキサス、ニュー・メキシコ、カリフォルニアなど)を奪取する。一九世紀の米国もまた帝国主義的な膨張をつづけていた。このような欧米帝国主義の膨張政策が可能であったのは、軍事力の優越があったからである。

しかし軍事力だけで長く維持された帝国はない。異民族や異文化を支配するためには、物理的な暴力による強制とともに、支配を正当化する言説を必要とする。その言説は、被支配者に対しても説得的でなければならない。あるいは少なくとも支配者の側が、説得的であり得ると考え、主張することのできるものでなければならない。そういう言説が生みだされるのは、境界の開かれた文化圏のなかからであって、閉じた地域文化のなかからではない。ヨーロッパの近代文化の歴史的背景には、ヘレニズムとキリスト教があって、そのいずれもがはじめから異文化に向って開かれていたといえるだろう。

中国文明の空間と東アジア世界

黄河流域の古代中国は、周辺の遊牧民と絶えず交渉していた。秦の始皇帝による統一後の中国歴世の王朝の歴史も、中国側からの周辺地域の併合・異民族との交替・異文化の吸収(たとえば仏教や中央アジアの音楽)と、周辺部、殊に西・北部の異民族からの中国への攻撃・征服・征服後の漢民族文化への同化――その二つの現象の交替によって特徴づけられる。国境の外の異民族・異文化の存在とその脅威は早くから強く意識されていて、そのことは秦漢の時代に、「東夷西戎南蛮北狄」の語が用いられ、巨大な「長城」の建設が始まったことからもあきらかである。唐は「絹の道」を通じてインドから来た仏教を盛んにし――「会昌の排仏」[4]はその反動である――、ササン朝ペルシャとの交流を密接にして、芸術的な装飾の「モティーフ」や技法を輸入した。詩人たちは僻地の城塞に胡歌を聴いたばかりでなく、長安の酒場で胡姫の酌むぶどう酒を飲んだ。碧眼の胡姫はペルシャ人である。明の貿易船は一四・一五世紀にインド洋を越えて中国の陶器を、マダガスカルやアフリカ大陸の東岸にまではこんでいた。漢民族の帝国は、周辺国の従属をもとめ、ヴィエトナムや朝鮮半島を軍事的に制圧しようとしたことがあるが、周辺地域を越えて無制限な膨張主義をとったのではない。彼らは日本列島に対してさえも軍事的圧力を加えなかった。そうしたのは蒙古の遊牧民が中国を征服して建てた元である。蒙古人たちは「絹の道」を西へ進んで、サマルカンドに建国し、さらに進んでヨーロッパの半分を占領した。彼らの帝国の極東から中欧にまで及ぶ広大な版図のなかで、東西文化の交流が拡大されたことはいうまでもない[5]。

要するに中国の境界は内からも外からも、常に隊商や騎馬の軍隊や僧侶や外洋船によって越えられていた。中国の文明もまた、地中海の文明のように、開かれた空間のなかに成立したのである。

たしかに中国文明は、ユークリッド幾何学やアリストテレス論理学を生みださなかった。しかしきわめて長い間——おそらく一七世紀以前まで——、多くの技術的領域で、世界的にみても高度の効率と独創性と国境を超えての影響力を発揮しつづけた。表意文字の体系から巨大な官僚機構まで、紙と筆の発明から羅針盤や火薬の製造まで、またいうまでもなく磁器の製法から朱子学の形而上学的体系まで。そういう技術や学問の普遍性が、中国大陸の文化的空間の開放性と無関係であった、とはいえないだろう。

古代の日本列島は、朝鮮半島とともに、中国文明の東北周辺部にあった。中国側の文献（『漢書地理志』）によれば、そこに統一政権はなく、列島の住民（「倭人」）は前一世紀頃に百以上の小集団に分れていたという。前三世紀頃から三世紀後半四世紀初に到る期間（いわゆる「弥生時代」）に——それはおよそ中国の漢王朝と重なる——、中国文明の圧倒的な影響が列島の南部に及び、北上する。すなわち稲作と金属文化である[6]。そこで生産力が増大すれば、権力の集中傾向があらわれる。朝鮮半島ではもっと早く高句麗の支配があり、その後新羅と百済が加わって三国時代が成立していた。日本列島では四世紀頃から無数の小集団がいく人かの王の支配する小国に収斂する傾向があらわれてきた。その直接の遺物は、大きな前方後円墳である。ファラオでなければピラミッドを作ることはできない。王の支配する地域がある程度の大きさに達しなければ、彼らが大きな墓を築くことはできなかったにちがいない。四世紀から六世紀にかけて(いわゆる「古墳時代」)、何人かの支配者たちは大きな墓を遺したのである。彼らのなかで有力な一人が、日本列島の大部分を支配するほど有力だったわけではないが、大陸では「倭王」とよばれた。倭王の領地の境界は明瞭でない。倭国は朝鮮半島の三国とともに、それぞれの支配を拡大しようとして、相互に対立し、連合し、武力による闘争をくり返した。百済と倭の連合軍対新羅と高句麗の連合軍(四〇〇年)、百済・新羅同盟対高句麗(五四八年)、百済・倭同盟対新羅(五五四年)というように、倭の活動は日本列島に限られず、朝鮮半島の闘争にも参加していた。七世紀後半に新羅は唐の援軍を得て倭と百済の連合軍を白村江に破り、百済を滅ぼした(六六三年)。その後唐が高句麗を滅ぼし、新羅は朝鮮半島を統一する。倭も白村江での大敗の後、朝鮮半島への軍事的介入よりも日本列島内での中央政権の強化へ向う。

要するに古墳時代の倭人が政治的・軍事的・技術的に活動していた空間は、近畿地方を中心とし北部を除く本州の大部分、瀬戸内海沿岸、九州北部、朝鮮半島南部にわたっていた。その空間の内部は決して等質的ではなく、異文化を内包し、外部との境界は明瞭でなく、異人種・異文化と直接に接していた。北ではアイヌの居住地を奪って拡大し、南では九州南部の「隼人」や沖縄人と接し、西では中国大陸の王朝に「朝貢」していた。「朝貢」の後には遣隋唐使を九世紀まで送り続けた。(7) 古代人の生活空間は外に向って開いていた。しかしその経験と開いた空間の概念がそのまま後の時代に伝えられたのではない。

七世紀に朝鮮半島から撤退し、日本列島の内部で支配領域を拡大して権力を集中しようとしていた王朝は、朝鮮を統一した新羅とは明瞭な境界を画するようになる。二国はもはや半島南部と列島西部から成る同じ空間のなかで同じ政治＝軍事的な劇を演じる演者ではない。文化は一方から他方へ流れるが、その逆の方向には流れない。情報の交換ではなく、情報の一方通行が主要な傾向となり、その傾向の政策に現れたもっとも典型的な場合が、遣唐使に他ならない。日本の統一過程、権力の中央集中過程で起こったのは、内外の境界の鋭い意識と、境界の閉鎖(すなわち鎖国)ではなくて半開きである。半開きの扉は、情報が外から内へ入ることを許すが、内から外へ出ることを許さない。扉が完全に閉じ、出入ともに情報が境界を越えなくなったのは――すなわち日本の空間が外に向って閉じたのは、大陸から流入した文化・技術がすでに十分に消化され、もはや「外国に学ぶ必要はない」と日本社会が信じた時であり、まさに遣唐使の派遣が中止された九世紀においてである。

七世紀に急激に進んだ統一過程を背景として、八世紀初には『古事記』と『日本紀』が成立する。その目的は王朝の正統性の確認であり、対内的にも対外的にも、それを必要としたにちがいない。その内容は「神代」でカミの系統を述べ、その子孫としての伝説的および歴史的な天皇の系統と業績を語る「人代」の記述へつなげる。すなわち神話と歴史とは連続し、神々と王＝現人神との間に断絶はない。(8) 大和王朝の国家統一の歴史は、すでに『記』・『紀』の「神代」において地方神が中央神に帰順した神話の叙述に反映し(オオクニヌシの国ゆずり)、伝説的な初代の王の東国征服譚にひきつがれていた(ヤマトタケルの東征)。

創世神話の空間認識

『記』・『紀』には創世神話がある。いずれも大同小異。今『古事記』によれば、「天地《あめつち》初めて発《ひら》けし時、高天《たかま》の原に成れる神の名は……」として三神の名を列挙し、地に成れる神の名を次々に述べる。(9) 天地が初めて分れた時に神々があらわれたのであるから、天地を神が創ったのではない。また先に成った神が、次に来るべき神を産んだのでもない。神々はそれぞれあたえられた時点で、それ以前の出来事とは何らの関係もなく、天または地において独立に「成った」のである。初期の神々は何かを創った創造者ではなく、何かによって創られた被造物でもなかった。彼らが何かを創りはじめたのは、すなわち環境に積極的に働きかけ、その生成の過程に参加しはじめたのは、イザナギ・イザナミの男女二神の代に到ってからである。周知のようにまだ固まっていない地、「浮きし脂《あぶら》の如」きものの中に、島を作り、天上からその島に降下し、そこで結婚して「大八島国《おほやしまぐに》」を生んだ、という。大八島の範囲は、近日いうところの近畿地方、中国地方、四国、九州北部などの他、淡路島、対馬などの島を含んでいて、およそ大和朝廷の支配した領域に相当するだろう。イザナギ・イザナミの国生みの神話は、当時王権の支配下になかった地域には及んでいない。日本列島のそういう地域についての知識も乏しかったろうが、『古事記』の編者たちはそもそも外部の世界への関心をもっていなかったようにみえる。もちろん彼らは中国や朝鮮半島の存在を知っていた。現に『古事記』のその後の時代の記述には、神功皇后の新羅征討というような話も出て来る。しかし中国や朝鮮半島が、イザナギ・イザナミから生れたのでないとすれば、いつ、いかにして、「成った」のかということについては、ただ一行の言及もない。天地は「大八島」の外でも分れたはずだが、その時におこった出来事は「大八島」の成立に限定される、すなわち関心の及ぶ空間の境界は閉じていたということになろう。

『古事記』はその空間に住む人民の起源について語らない。また動植物の起源にも触れない。天上のアマテラスはその子孫が支配者となることを望み、さまざまの障害——それは悪しき神々から生じる——を克服した後、ニニギノミコトを降す(「天孫降臨」)。その子孫が初代の天皇(神武天皇)である。その時アマテラスは大八島を「豊葦原之《とよあしはらの》千秋長《ちあきのながい》五百《ほ》秋之《あきの》水穂国《みづほのくに》」または「豊葦《とよあし》原《はらの》水穂国《みづほのくに》」とよんでいた。「水穂は水田に作る稲穂」であり、「長く久しく稲穂のみのる国」の意である[10]。アマテラスがみずから稲作をはじめたわけでもないのに「水穂国」を強調したとされるのは、『古事記』の編まれた八世紀初頭の、稲の水田耕作が普及し、定住農民のムラが中心的な役割を果していた社会の状況を、直接に反映しているからにちがいない。水田耕作は労働集約的な仕事で、ムラ人の協同作業を必要とする。従って個別農家のムラ共同体への組み込まれの程度は高く、共同体の内と外との境界は、物理的にも社会的にも明瞭で、それはやがてムラ人の行動様式の二重性にまで発展するはずのものである。「水穂の国」はムラ共同体を含意し、ムラ共同体は閉じた生活空間の典型である。一方には朝鮮半島から撤退した島国の空間があり、他方には水田耕作を行う多数のムラの空間があり、そこで生きられた多かれ少なかれ閉鎖的な空間の経験が、八世紀初頭に編まれた『記』・『紀』の空間概念に投影していたといえるだろう。

沖縄にも創世神話がある。伊波普猷(一八七六―一九四七年)が引く『中山世鑑』(一六五〇年)や『中山世譜』(一七〇一年以後書きつがれた)によれば、その内容は『記』・『紀』の神話に酷似する。第一、天帝が阿摩美久《アマミク》という神を降して、海中に多数の島を作らせる。アマミクは材料として土石草木を天から得る。第二、島には人が住んでいなかったので、アマミクは天帝に人の種を乞う。天帝は一男一女を降す。女は三男二女を産む。長男は国君《クニギミ》の初、次男は按司《アジ》の初、三男は百姓の初、長女は君々《キミキミ》の初、次女は祝々《ノロノロ》の初という。国君と按司は政治的支配者であり、百姓は人民、君々と祝々は、それぞれ宗教的な公私の役割を分担する神女(ツカサとノロの二系統)である。第三、天帝は最後にアマミクの願いを容れて、五穀の種を降す(麦・粟・禾《いね》の種と稲苗など)。——これが『中山世鑑』の創造神話で、『中山世譜』では国土を作った神を男女二神とし、口碑では『中山世鑑』と同じく天人《アーマンチュー》一人とする。(11)

この三段階の第一は『古事記』の国生みに、第三は水穂の国に相当する。第二の住民の起源については、『古事記』にはっきりした記述がない。神話のすじ立ては『中山世鑑』の方がはるかに合理的に整理されている。そのちがいは、八世紀初に編まれた『古事記』と一七世紀中葉に成立した『中山世鑑』との間に、およそ千年のひらきがあることから説明されるかもしれない。しかしそれぞれの神話が、その記録された時点以前に語りつがれていたとして、どれほど前の話であるかは確めることができない。二つの神話のどちらが他方に影響したのか、異なる時代に異なる方向への影響が起こったのか、正確にはわからない。しかし多くの学者は——そのなかには伊波普猷も含まれる——、古代日本の風俗習慣が琉球弧へ南下し、大和本国でよりもその後の変化を被ること少なく、最近まで残っていたと考えている。もしその考え方が正しいとすれば、最近の沖縄の風俗——それは観察し、記録することができる——から古代日本の風俗を、考古学的資料と併せて、ある程度までは想像することができるかもしれない。沖縄の創世神話でも、創造されたのは沖縄周辺の島々＝国王の支配の及ぶ国土であり、その外の大和でも、朝鮮半島でも、中国大陸でもなかった。海の彼方は、他界であり、ニライカナイまたはニーラスクであり、そこからは神々だけが国土を訪れたのである。[12] 国土の境界はあきらかで、外部の世界との往来は限られていた。

閉じられた空間

九世紀末に平安朝の日本は遣唐使を廃止した。最後の遣唐使に任命された菅原道真は、唐王朝の衰退を指摘し、すでに学ぶべきものを学んだ日本国が、航海の危険を冒し、巨費を投じて大使節団を送る必要はなくなったと主張した。政府はその意見を容れて、遣唐使の制度そのものを廃したのである。たしかに平安朝最初の一〇〇年が経った後、仏教寺院は最澄の開いた比叡山と空海の高野山で繁栄していたし、中央政府は本州・四国・九州の大部分を支配していた。農業の生産性は高まり(平安朝を通じて単位面積当りの米収穫量は倍増したという説もある)、冶金・鉄工・建築・織物・染色・陶業(磁器を除く)などの技術が発達し、かなが発明されて普及するとともに独特の文芸が興ろうとしていた(一〇世紀初の『古今和歌集』に集められた和歌の大部分は九世紀に作られた)。その後の三〇〇年ほどの間、平安朝文化は外ではなく内へ向う。大陸との政治的交渉はきわめて限られ、人物はほとんど往来せず（もちろん新羅との交易、仏僧の留学などいくらかの例外はあった）、新しい学問や芸術の影響はほとんどなかった。遣唐使の廃止の後には、日本社会の外部との境界の固定と閉鎖の時代が続く。平安朝後期（一〇世紀以後）は第一次鎖国時代である。

第一次鎖国の三〇〇年間と第二次鎖国（徳川時代）の二五〇年間との間には、閉じた境界がある程度まで開いた時代があった。その時代の初めには中国からの禅僧の渡来があり、終りにはイベリア半島からのキリスト教宣教師の活動がある。その中間に、室町幕府の統御する対明貿易、対馬の対朝鮮半島貿易、沖縄を中心とした東南アジアを含む広汎な交易、活発な密貿易（シャムには日本人村があったとされる）、有名な海賊「倭寇」による中国・朝鮮沿岸の掠奪などもあった。しかし国内的には、一四世紀から一六世紀に到る時期の日本は、権力の集中ではなく拡散の過程にあり、そのことは大がかりな内乱――南北朝の戦い、応仁の乱、戦国時代――をくり返していた。対外関係における異文化接触は、その広がりにおいても深さにおいても、到底明のそれに及ばず、またイスラームやキリスト教圏の諸国のそれとは比較にならない(13)。第一次鎖国期に作られた文化――その価値観や感覚的洗錬や行動様式の主な特徴は、もちろんこの時期の開放性によっていくらか影響され、修飾されるが――は根本的には払拭されず、そのまま残存し、来るべき第二次鎖国によって強化され、固定される。

内と外との境界が明瞭で閉じている場合には、内に住む者と外に住む者との区別は鋭い。あらゆる機会にその区別が強調され、内に住む者は同じく内に住む者に対してと外に住む者に対しては、別の二つの態度をとり、別の二つの規則を適用する。その意味で境界が閉じている空間は、もちろん日本社会という全体だけではなかった。日本社会のなかには無数のムラ共同体があり、ムラ共同体のなかには「家」がある。日本社会の内外の人間が日本人と外国人であるとすれば、ムラの内外の人物はムラ人と外人《ソトビト》であり、「家」の内外ではたとえば家族と非家族であろう。ここで便宜上あたえられた集団の成員を「内人《ウチビト》」(insider)とよび、すべて集団外部の人間を「外人《ソトビト》」(outsider)とよぶとすれば、日本の集団の内外人の関係を分析するためにもっとも便利な「モデル」の一つは伝統的なムラ共同体である。

ムラの内と外

伝統的な日本のムラは、しばしば山峡や盆地にあって、三方あるいは四方を山にかこまれていた。山の手前がムラの領域であり、ムラ人にとっての内側、此方《こなた》、「ここ」である。山の向う側は、外側、彼方《かなた》、「よそ」、すなわち外人の住む外部世界である。その境界は明瞭である。平地の農村の境界は、山や川のような際立った標識をもたないが、それは境界が不明瞭だからではなく、少なくともムラ人にとっては自明で、大きな標識を立てる必要がないからである。

地域の人々は村有地、自作農および小作人の耕地、地主や神社の森などから成るムラ空間の境界を熟知している。私は関東平野のおそらく典型的な農村の一つを一九三〇年代に何度も訪ねたことがあるが、私の眼には見えないムラの境界はムラ人の眼にははっきり見えていた。ムラ人がその境界を越えて、外の世界へ出てゆくことは稀であった。東京の青年が「ふらんすへ行きたしと思えども、ふらんすはあまりに遠し」と詠っていたように、ムラの青年にとっては「東京へ行きたしと思えども、東京はあまりに遠かった」。東京から国境を越えて海外へ留学したのは少数の特権的学生であり、村から村境を越えて町の中学校へ進み、さらに東京の大学へ向ったのは、地主の子弟だけである。境界の閉鎖性において、ムラは国の縮図に他ならなかった。逆にムラの構造の持続は、国の鎖国心理を支えてきた、とみることができる。

境界の内側でのムラ人の生活に、寄合や祭礼に代表されるような「公」と、個人の結婚や死のような「私」との区別はなかった。結婚や葬式は、農耕や神社の祭りと同じように、ムラ共同体の出来事であった。地主の家は死せる先祖のために法事を行ったが、法事にはムラの全体が参加する。あらゆる個人は共同体に組みこまれ、その中に埋没する。時代をさかのぼれば、組みこまれの程度はさらに高度であったろう。孤立した山村や孤島には古風が残存し、四国山中の椿山の村を調査した福井勝義氏は、その村と他村との交通は明治時代になっても遮断されていたので、結婚も村内で行われていた、と言う(14)。

ムラ共同体の成員であるムラ人は、ムラ人同士の交際と外人との交際を、異なる二つの原則によって律する。一九四五年から四六年にかけて疎開先の村で暮した大塚久雄氏は、その村人について、「小麦だとかウドン粉だとか、そうしたものを〈売ってくれ〉と言っても、なかなか売ってくれない。村民同士で売り買いするなんて〈水臭い〉と言う」と書いている(15)。では「村民同士」でどうするのか。そこでは「すべてが村の共同体規則というか、村特有の慣習的規約の網の目のなかに閉じこめられ……」、「実物経済が全体として支配的」である(16)。村内には貨幣を媒介とする市場経済がない。村外にはもちろんそれがある。両者が接触すれば何がおこるか。村内で売買を嫌う村人の態度は、「相手が村外の見知らぬ人々――彼らの言葉で言えば〈よそ者〉〈来り者〉〈旅の者〉――となると、ガラリと変ってきます。内と外とでは彼らの行動様式は全然違って来る」「村外の人々との間に行われる売買には……均衡価格なんていうものはない。その時その時の出たとこ勝負、実力次第」、「高ければ高いほどよい」ということになる(17)。

ムラの閉鎖性は日本国の閉鎖性である。中国人は海外へ移住した(「華僑」)。日本人は狭い国土から外へ向って外地に移住することがなかった。もちろんそれは平安時代と徳川時代にくり返された鎖国政策によるところが大きい。しかし鎖国が有効であったのは、国内に境界を越えて外へ向おうとする強い動機がなかったからだと考えることもできる。あたえられた領域の内部に留まろうとする社会心理的傾向――その傾向は同時に内部の条件への適応能力を意味する

――が、鎖国(海外渡航禁止)政策を生みだし、鎖国の現実が内向きの心理的傾向を強めたにちがいない。オギュスタン・ベルク氏は、興味深い北海道の例を引いている。中央政府が本州全土を制圧した九世紀半ばから植民政策をとりはじめる一九世紀半ばまで一〇〇〇年間も「北海道はほぼ無人の島」であった。なぜか。アイヌの抵抗は一五世紀末には終っていた。寒冷地の農業技術は障害ではなかった。北方貿易を独占していた松前藩は入植を禁止していたが、入植運動が強ければ、それを抑える力はなかったろう。「根本的理由は、日本人に、世界の他地域に向ってと同様、北海道に向っても移住する気持ちがほとんどなかったところに求められるべきだろう」というのである(18)。その「気持ち」はムラ人のそれと共通である。

ムラ人の外人《ソトビト》に対する態度を、いくらか立ち入って検討するためには、外人がそこから来る外地とムラとの距離を区別しなければならない。近い外部と遠い外部があり、それぞれに応じて大別すれば二種類の外人がある。遠近の定義は、必ずしも地理的な距離によらず、文化的な距離による。近い外部は、隣村のように、わが村と人種、言語、風俗習慣などを共有し、相似の社会的構造を備える。そのなかの一つが著しくちがえば、たとえ隣接する山林に住んでいるとしても、たとえば山伏の集団のように、遠い外部社会である。一般に遠い外部は、そこから定期的または非定期に訪ねて来る者の地域を特定し難い。それは漠然と遠方であり、海の彼方や山の彼方である。たとえばカミはそこから来るし、乞食も特定できない外部から来る。地域を特定できる場合でも、そこでの風俗習慣はムラのそれと全くちがっていて、想像することがむずかしい。たとえば死者の行く他界である。他界は必ずしも物理的に遠くないが、そこへ生者（ムラ人）が行くことはないし、そこで何が起こっているかはよくわからない[19]。あるいは山村から見ての大都会。たとえば先に引いた大塚久雄氏の「疎開」した村へ買出しに来た人たちは、隣村――そこでの習慣はわかっているし、そこを訪ねることもあり得る近い外部――から来たのではなく、大都会――そこへは行ったこともないし、その風俗習慣はわからない遠い外部――から来たのである。遠い外から来た人物との取り引きには、こちらの規則が適用できず、相手の規則はわからぬから、規則なし、強いもの勝ちとなる。

隣村同士の関係には、主として三つがある。友好的な関係での重要な行動の一つは、結婚である。一方は娘を嫁にやり、他方は男子に嫁をとる。このやりとりが、集団外結婚（エクソガミー）の範囲を拡大することはいうまでもない。遠い外部社会の男または女とムラ人が結婚することは稀である。

また、二つ以上のムラの間に単なる友好関係ではなく連帯関係が成立し、村民が共同して権力に抵抗して戦うことがある。室町時代から徳川時代の終りまで頻発した一揆や強訴や打ち壊しの場合である。明治以後での有名な例は足尾銅山鉱毒事件。被害民は請願のため大挙して上京しようとし、警官隊と衝突した（一九〇〇年）。この場合には被害が利根川流域の広範囲に及んだため、多くの村が抗議運動に参加した。しかし明治以前には遠隔地域の農民が連帯することは少なく、一揆が多発することはあっても、連帯して統一行動を組織するには到らなかった。それが武士権力による弾圧を容易にした大きな理由である。唯一の例外は一向一揆であり、一向宗を媒介として広域の農民の間に連合組織が成り立つと、一五世紀半ばから一六世紀末まで武士権力を排除して、加賀・越中においてのような一種の「解放区」を作りだした。

もちろん隣接するムラの間には争いもあった。主要な争点は、水田耕作に致命的な水利に係わり、また生活必需品としての燃料に係わる。日本では多くの場合に小さな河川の治水が小さな領域での、ムラの事業でさえあったから、ムラ同士の争いの種であっても不思議ではない。黄河やナイルの治水がいわゆる「アジア的専制君主《デスポット》」の巨大な力を必要としたのとは大いに異なる。日常の燃料は薪であり、薪は森で拾い集める。森が複数のムラに接するとき、森に入る権利、いわゆる「入会権」がどのムラに、どの程度に属するかは大きな問題であって、しばしば争いの理由になった。ムラとムラとの間には、このように水利や燃料をめぐる争いがあった。しかし競争はない。隣村よりも豊かになりたいとか、領域を拡大したいとかいう意識は村民の間では強くない。勝ち負けのあきらかな激しい競争を導入したのは資本主義と市場原理である。

遠方とムラ

遠方とムラとの関係は一方通行である。ムラ人は遠い外部へは出かけない。しかし遠い外部からは来訪者がある。折口信夫が言ったように「まれびと」としてのカミはその典型的な場合である。(谷川健一氏によれば、奄美大島ではカミが山から垂直に降りて来る(また天からその山に降下する)ことがあるが、沖縄では主として水平に動き、海の彼方から来る。[20] カミがそこから来てそこへ帰る海の彼方は、奄美ではネリヤ、沖縄本島ではニライカナイ、宮古島ではニイリヤまたはニッジャ、八重山群島ではニーラスクと称ばれる。八重山に出現する豊穣神アカマタ・クロマタは地下から現れるが、その地下は海底のニーラスクに通じているとされる。

カミは主として稲と粟の豊作を保証する農業神か、祖先崇拝の祖霊である。いずれにしてもムラ人にはない能力を備え、豊年や大漁をもたらし、疫病を追い払い、彼らを援けるとともに、彼らを脅したり、罰したりもする。「風土記」が誌す日本本島のカミは眼にみえない。旅人のようにムラを訪れるのではなくて、どこからか来て――しばしば天から降り来て――、自然の大木に憑いたり、清められた特別の空間にとどまったりする。カミがそこに現在すれば、その超自然的な能力が周囲に及ぶのである。

ムラを訪れる威力、ムラ人よりも高い地位の人物はもちろんカミだけではない。特定の寺院に住まいせず全国を遍歴する仏僧――そのなかには聖《ひじり》、上人などとよばれ、尊崇された平安中期の空也上人のような例があった。そのような遊行上人の行動範囲は、時代が降るにしたがって拡がる。鎌倉時代の一遍上人(一二三九—八九年)は四国から発して本州の北は奥州まで南は九州まで歩いた。江戸時代の初には円空(一六三二—九五年)が美濃から始めて東日本に遊行し、その足跡は北海道に及んだ。中期には木食五行(一七一八—一八一〇年)が甲斐に発し、九州南端から北海道中部まで全国を踏破する。各地の農民、あるいは漁民や工人や商人にとって、彼らは遠方から来た精神的な権威であったにちがいない。

ムラにはまた物理的な権力の手先としての収税吏も来た。ムラ人にとって挑戦することのできない相手であるという意味では、精神的権威を代表するカミや遊行上人も、物理的な権力を代表する収税吏も同じことである。カミや聖の恵みは祈るほかないものであり、税額は政治権力が、払う側の知らない理由で、知らない手続きにより、一方的に決めるものである。カミも税吏も遠方から、一方通行の情報および行動の流れとして、遠い外部から来る。税吏の居る役所は、政治的ニライカナイである。(21)

他方遠い外部からムラを訪れるのは、またムラ人の下位にあり、彼らから対等とはみなされない人々でもあった。「非人」、乞食、各種の旅芸人、売春婦または売春婦兼巫女など。このような「パリア」(pariah)として差別された人々も、どこか特定できない外部から来たのである。

このように遠い外部からの訪問者は、ムラの内部の人々よりも、上か下に位置し、決して水平・対等の関係にはなかった。対等の関係は、近い外部、隣村の人たちとの間にしかない。別の言葉でいえば、近在の人々を除いて、すべての外来者との関係は平等でなかったということになろう。外来者との関係は、外部の人間一般の「イメージ」を決定する。しかしそのことは、外来者したがって外部の人間の全体が、ムラ人にとって、上と下の二つの範疇に大別されるということではない。同じ外来者が同時に上であり下である場合があった、というよりも遠方からの訪問者の多数がそうであったかもしれない。たとえば平安朝末から鎌倉時代へかけて、今様を唱い舞った白拍子は旅芸人の一種で、そういう者として差別され、ムラ人の誰からも結婚の相手とはみなされなかったろう。しかし彼らのなかには、農民の誰もが夢想もできないほどの高位高官の屋敷に参上する者があった。極端な場合には『平家物語』が語るように清盛の宴に侍することがあり、例外的な現象ではあるが、後白河法皇の宮廷に住みこむことさえもあった。社会的身分の低い旅芸人は、同時に途方もなく高い地位の特権をもち得たのである。室町時代には有名無名の山嶽に多くの「山伏」の集団が住んでいたらしい。彼らが、一面では病その他の禍を除くムラ人にはない能力をもつと考えられていて、しばしばムラ人から助けをもとめられると同時に、他面では、ニセ物も多く、無能力な役立たずとして軽蔑され、警戒されていたことが、山伏を主人公とした狂言に活々と反映されている。同じ頃、地方巡業の能役者は、旅芸人としてムラ人から平等の扱いは受けていなかったろうが、同じ役者が京都では将軍の前でも演じていた。彼らの社会的地位は農民よりも低く、かつ限りなく高かった。そのことは、世阿弥自身の書き残した言葉からも察せられる。連歌師芭蕉は一七世紀末に旅をした。旅先で彼を迎えたのは俳諧連歌の愛好者たち、それぞれの土地の豪家などで、稀に武家にたち寄れば、あまり丁重には迎えられなかった。俳諧愛好者の仲間内では第一人者として高く評価されていたが、武士社会では地位が低く、農家とはあまり接触がなかったろう。要するに俳諧共同体のなかでの全国的な名声と、一般社会のなかでの旅芸人の地位を、一身に兼ねていた。弟子たちは見上げ、武士たちは見下げる。対等の関係はどこにもない。

このようなムラ社会に典型的な内人《ウチビト》／外人《ソトビト》関係——隣村との平等を例外とする不平等関係——が、長い間、少なくとも一〇〇〇年以上続けば、そのことからムラの水準ばかりでなく日本社会のあらゆる水準において、すべての人間関係を、相手との上下関係に還元しようとする強い心理的傾向が生みだされるだろう。

国際関係の水準では、徳川時代一八世紀末までの日本は、中国の文化を範としていた。たとえば知識層は彼らの主要な著作を古典中国語で書いていた。この文化的上下関係は鎖国の間にも動かなかった。しかるに一九世紀になって、中国はアヘン戦争で英国に敗れ、その十数年後には鎖国日本も江戸湾に入った米国艦隊になすところを知らず、開港・不平等条約を受け入れた。中国はもはや見上げる模範ではない。英米の軍事力は圧倒的で、軍事力の背景には技術と工業力があり、技術と工業力の背景にはそれを生みだした社会制度があるにちがいなかった。明治維新は中国から欧米への模範の切り換えである(「脱亜入欧」)。日本共同体の視線は見上げるか見下げるかで、水平に相手に向う習慣はないから、もはや見上げることのできなくなった中国は多かれ少なかれ見下げるほかはない。物(荻生)徂徠は中国風の改名であり、聖人の国の方向へ足を向けて寝ない儒者さえもいたらしい。京都を洛陽になぞらえて洛中洛外などと言ったのは、遠い昔のことではない。その日本人が突如として中国人に対する偏見差別の意識をもつに到ったのは、日清戦争の勝利だけによるのではないだろう。そもそも遠い外部の人間は、カミでなければ「非人」であるほかはなかった。

日韓関係も同じ。文化が中国に発するとすれば、周辺国の文化的地位は中国本土からの距離によって定まる。徳川時代の儒者詩人が自作の詩を朝鮮使節に随行した学者に示し、朝鮮の学者がまるで日本人らしくない(「日東ノ臭気ナシ」)と評すれば、それこそは「お墨つき」、それこそは最高の光栄で、「内政干渉」などと呟くどころか、感激のあまりその挿話を当人の墓銘碑に刻んで紀念するほどであった。中国を仰げば韓国を仰ぐ。中国を見下せば韓国を見下す。日清・日露の戦争に傲《おご》った大日本帝国は、周知のように、韓国を合併し、第一次世界大戦に乗じて中国侵略を進めた(山東出兵・占領、二十一ヶ条要求、「満州国」傀儡政権、全面戦争)。併合後、一九二三年の関東大地震の混乱に際しては、流言蜚語――それを警察かその他の誰が作ったかは措くとしても――に基づき、警察と武装した市民の「自警団」が多数の在日朝鮮人を虐殺した。このように陰惨な集団ヒステリーの爆発は、地震による混乱ばかりでなく、朝鮮人を蔑視する極端な差別意識がなければ起り得なかったろう。

米国の場合には日本側の見方が三転した。幕末には脅威、維新後の工業化過程では模範としての西洋の一部、太平洋戦争中の宣伝では鬼畜、敗戦後には模範。日米関係が対等であったことはない。太平洋を隔てて、米国は日本よりも常に先進的で、常に強大であった。その現実は変らない。しかし格差の現実に対する日本側の反応は、時代により、人により、組織により、異なる。政府について言えば、戦時中の政府は米国に追随するわけにはゆかないので、米国は「物量」に勝り――これは客観的に比較することができる――、日本は「精神力」に秀れる――この方は比較することができない――、と称していた。「精神力」というのは、戦意や勇気や忍耐やカミの加護などを漠然とひとまとめにしたものを指す。そこから「神州不滅」とか「死して護国の鬼となる」とか「一億一心火の玉だ」とか、さまざまに戦争宣伝用の「スローガン」が出てきた。このような「スローガン」の多くは検証できないので、大部分の国民は半信半疑であったろう。しかしそのなかには検証可能な命題もあり、たとえば「米軍の爆撃機も宮城の上を飛べば、神風が吹いて落ちる」という主張がウソかまことかは、実際に米軍機が宮城の上空をおおうようになると、おのずからあきらかになった。戦時中にかぎらず誇張された日本の住民や日本のカミの能力の主張は、おそらく劣等感を裏返した誇大妄想にすぎない。政府ばかりでなく「メディア」にも同じ現象があって、八〇年代の「バブル好況」の時には新聞雑誌でその道の識者(とみなされていた人たち)が賑やかに「ジャパン・アズ・ナンバー・ワン」踊りを踊っていた。

弱者の側が強者に対してとり得る態度は、個人間でも、国家間でも、劣等感を裏返した「強がり」だけではなくて、「倚《よ》らば大樹のかげ」戦略でもあり得る。現に二〇世紀初の日露間の緊張が高まった時に日本政府は日英同盟を結び、同じ世紀の後半には「冷戦」に対応して日米安保条約を受け入れ、外交政策においては半世紀以上も米国に追随して今日に及んだ。それにはそれなりの合理的な面もあるが、国の独立と尊厳を損なう面もある。いずれにしても、空疎な「強がり」であろうと、一辺倒の「大樹のかげ」主義であろうと、日米間に対等な関係はない(22)。ムラ人と遠くから来た外人《ソトビト》との伝統的関係は、今日もなお生きているのである。

空間の三つの特徴

明瞭で閉じた境界にかこまれる共同体の生活空間は、いかに構造化されるか。日本の伝統的ムラの内部は、いかに分節化され、いかに秩序づけられていたか。江戸時代以来の関東の典型的なムラには、二つの型がある。第一の型では、森を背負う寺・神社・地主の家を中心として、その周りに集落があり、さらにその周辺に耕地が広がる。第二の型では、街道すじのムラ（または町）の集落が道路に沿って細長く続く。この二つの型は、関東平野にかぎらず、基本的には本州の全土にみられる。集落の大小の農家や寺社の建物の内部空間には、いくつかの目立つ特徴があり、その特徴はムラ全体の空間の秩序にも多かれ少なかれ反映している。

第一、「オク」（奥）の概念。

『岩波古語辞典』によれば、「おく」は外（と）、端（はし）、口（くち）の対。オキ（沖）と同根。「空間的には入口から深く入った所で、人に見せず大事にする所をいうのが原義」という。沖縄には今も海の彼方、沖から来るカミを、御嶽《ウタキ》に迎える祭祀があり、御嶽は森の奥である。森の入口——そこには簡単な門のしるしがある場合もあり、何もない場合もある——から、「深く入った所」に、祭祀に参加する女たち（司《ツカサ》、ノロ）以外の誰も立ち入らない、人に見せない秘密の場所があり、そこにカミが滞在する。その場所は聖なる所だから大事にされるのである。「深く入る」のは移動であり、「オク」は固定された一点を指示するよりも、運動の方向性を意味することが多い。「オク」へ向う運動があって、進めば進むほど空間の聖性が増すのである。沖縄の御嶽にかぎらず、神社の建築的空間もオクへ向う進路を軸として構造化されている。参道、一般人の拝殿、神官のみに許される内殿、誰も入れないカミの座、この一本の軸に沿って進めば、その経過とともに、空間の秘密性と聖性が増大する。それがオクへの接近であり、移動の方向性である。

世俗的空間のなかでオクへ向えば、私的性質が強まる。住宅の玄関から客間へ、客間から居間・寝室・奥座敷へ。そのオクを「人に見せず、大事にする」ことはいうまでもない。「人に見せず」の程度は、世俗的建築空間では宗教的空間においてほど厳密でない。しかし今日でも、現在の米国の中産層の習慣にくらべれば、日本の家庭には家族の生活空間を人に見せる習慣がない。秘せるがオクである。なぜだろうか。おそらく私的生活空間の秘密性は、その空間の境界の閉鎖性にほかならず、ムラ境や国境の閉鎖性を生みだしたのと同じ社会心理的傾向が、それを生みだしたのにちがいない。それは家族の日常生活を外部から遮断し、内外の区別を強調しようとすることであって、家族内部で個人の私的願望や行動が尊重されることでは全くない。オクには——少なくとも太平洋戦争前までは、その成員のすべてを組み込み、吸収し、強い圧力を行使する伝統的な家父長制大家族が住んでいた。

第二、水平面の強調。

世界の宗教建築には垂直の線を強調し、天高くそびえるものがある。高く築いた石造ピラミッドの上に神殿を置くこともあり(たとえばマヤ)、寺院そのものが高層の石造建築でその外壁を無数の浮彫り像で埋めることもある(たとえば南インドのヒンドゥー寺院)。イスラームのモスクには細い高い塔が何本か付属していて、その上から信徒に向って礼拝の時を報せる。一二世紀以後ゴシック様式のヨーロッパの大聖堂は、正面入口の両側に高い鐘楼を備えることが多く、内部も列柱から尖塔《オジーヴ》アーチの天井へ向ってあらゆる線が上昇し天を指すように作られている。北ヨーロッパの村の教会は、石造・木造・煉瓦造りで、鐘楼は低いが、屋根の中央の尖塔が天を指す。たとえば今もなおイングランドの田園風景は、コンスタブルが描いたように、ゆるやかに起伏する丘の間の牧場と、牛の群れと、小川、そして地平線の森と、その上の空に突き出た小教区の教会の尖塔から成る。イル・ドゥ・フランスの風に波打つ麦畑と高く空へ向って伸びたポプラの並木の彼方にも、遠い森のかげに教会の尖塔は見えるだろう。しかし日本の田園では見えない。そこには高いポプラ並木のように、教会の鋭い尖塔のように、断乎として明瞭な、妥協の余地のない垂直線がない。

日本では宗教的建築でさえも、平屋または二階建てで、地表に沿って広がり、天へ向って伸びてゆくことはない。神社には塔がない。一部の神々はたしかに「高天原」から降ってきたとされるが、「高天原」は天上よりも山頂にあったらしい。降って来てしかるべき仕事をしたのち天に昇ったという話も『古事記』にはない。しばらく地上に在ってのち天へ帰ったのは、八百万の神々ではなくて、かぐや姫や羽衣をとりもどした天女や民話のなかの鶴である。神社が敢えて天上に関わらなければならない理由は弱いだろう。例外は仏教寺院の五重塔である。しかし第一に、仏教は外来宗教であり、五重塔は外来宗教の造形的表現の一つである仏塔の「日本化」である。第二に、中国には大雁塔のように高い仏塔もあるが、日本では層を五重または三重に限り、幅の広い廂をほとんど水平に四方に出して、垂直の線を隠した。日本化とは塔の非塔化である。多数作られた五重塔は、日本建築にも高さへの志向があったということを証言するのではなく、日本では宗教建築においてさえも天を指して上昇する傾向はなかった、あるいはきわめて弱かったということ、建築的空間を水平面に沿って構成する傾向こそがきわめて強かった、ということを証言するのである。

宗教的建築において然り、いわんや世俗的建築においておや。住宅は天皇の離宮から大名屋敷まで、都会の豪商の邸宅から小作農の農家まで、どこでも、ほとんど常に、平屋または二階建てであった。数階に及ぶ大きな建物が現れるのは、明治以後西洋の技術が導入されてからである。たとえば二〇世紀初の「丸ビル」は八階のコンクリート建築であった。しかしその形が横から縦の強調に変ったのではない。タテの線を強調する高層建築が現れたのは、第二次大戦後である。しかし伝統的木造の非宗教的な建築にも例外がなかったわけではない。それは主として徳川時代初期に、大名がその居城に築いた天守閣であり、所領地の住民を威圧することが主な目的であったろう。軍事的な価値は疑わしいが、もはや彼らはいくさを期待していなかったし、現にいくさは起こらなかった。

日本の建築は水平の面に沿い、地を這う。わら葺きの屋根は足もとの水田から湧き出てきたかのようにみえる。遠い山の斜面に夕陽を浴びて輝く白壁は、秋の山肌に融けこんでその色彩的調和を支える。この瞬間の、この風景を、どうして離れる必要があろうか。「今＝ここ」の、此岸の現在を、いかなる彼岸へ向っても超越しないとき、風景のなかの建築的空間は、繊細に、微妙に、かぎりなく洗錬されてゆく。

水平志向は建築的空間だけの特徴ではない。日本舞踊の踊り手の足は、床の上を辿り、両足が同時に床を離れることはない。舞台の上での俳優の動きも同じ。能舞台では役者がタテ・ヨコに動くが、上下に動くことはない。歌舞伎の舞台は、大道具を用い、各種の設備を発達させるが、ヨコ長になり、役者の動きをタテよりもヨコに集中する。せり上りの出現ということはあるが、舞台の天井から神や仏が降りて来ることはほとんどない。羽衣を着た天女さえも空中ではなく松原で舞う。日本のドン・ファンが、二階の女の露台の下でマドリガルを唱うことはないし、日本のロメオが彼のジュリエットの二階の窓まで綱か梯子でよじ登るということもない。要するに役者は上下に動かない。舞台の想像上の空間と水平面の上で分節化され、構造化される。一般に日本文化の中の空間は、上下よりも水平の軸を中心として展開する傾向が強い。

第三、「建増し」思想。

住居の原型は、一室の家である。住む人にとってそれ以上の空間が必要になれば、同じ敷地内に、あるいは近隣に、もう一軒の一室家屋を建てる。第二の室を別棟としないで第一の室へ、廊下でつなぐか壁を接して作れば、一軒の家屋の「建増し」である。建増しは原則としていつまでも続けることができる。それには時とともに変る必要に対応できる利点があると同時に、かくして出来上った数室から成る建物の全体の形を初めから予想はできない欠点がある。他方、初めに長期間の必要を予想して、仕事を一室からではなく全体の大きさと形を決めることから始めることもできる。まず枠組を作り、その中の空間を分割して必要な、あるいは将来必要になるだろう、と予測されるいくつかの室を作る。全体の調和を実現できるのはこの方式の利点であり、予測外の空間の必要がおこったときに対応が容易でないのは欠点である。要するに第一の建増し方式は、部分から出発して全体に到り、第二の、今から計画方式とよぶやり方は、全体から出発して部分に到る。

一般に宮殿や大寺院や死者の廟のような紀念碑的建物は計画方式により、大部分の住宅や商店や工場は多かれ少なかれ建増し方式の要素を含むことが多い。いつの時代、どの文化のなかでも、二つの方式は混在している。しかしいずれの方式を重視し、強調するかという点に関しては、文化による違いが著しい。北京の紫禁城の中心部分は全く計画的に左右相称の枠のなかに収められている。中国全土ではないが北京では、伝統的な住宅でさえも計画的に左右相称で、建増しの余地を残さない(四合院)。フランスではヴェルサイユ宮が庭園を含めて全く計画的であり、ゴシックの大聖堂も全く同じ方式によるが、農家はしばしば建増し方式による。イスタンブールのトプカピ宮殿は、広い敷地のなかにあまり大きくない建物を点在させる一種の建増し「複合体《コンプレックス》」で、その全体にはあきらかに計画性がない。それぞれの建物の大きさや建物群の配置の全体には強い関心がなく、建物内側の細部に注意を集中しているという点で、トプカピは紫禁城やヴェルサイユと対照的である。日本では大寺院に計画性がないわけではない。しかし寺院建築には中国からの影響が強い。中国の範例を離れた宮殿、たとえば桂離宮では、日本の建築家の感受性は建増し方式をとり、トプカピを作ったトルコ人の感受性に近づき、それをさらに研ぎすます。そこには建増し方式に習熟した後、その実用的な利点を遂に美的利点にまで高めた工夫がある。世界中から集めたトプカピの宝石はもはやそこにはなく、その代りに幾何学的空間の絶妙の調和がある。

しかし建増し方式は個別の建物よりも集落や町の構造に反映している。京都の原型長安の大都には、都市計画の整然たる秩序があった。都市の計画的建設は、欧米でも、近代になってから盛んになった。たとえば一八世紀末に設計されたワシントンD.C.やオースマン男爵のパリは放射線状の構造をもち、ニューヨークのマンハッタンは碁盤目状に整理されている。しかし多くの都会は、昔も今も自然発生的に成立し、全体をおおう計画に従って発展したものではない。その時々の必要に応じて次々に新しい建物をつけ加えて来た建増し型都市である。殊に日本の場合には京都を唯一の例外として、すべての町が成り行き任せの建増し型であった、といえるだろう。もちろん町の一部分について、小区画内の計画はあり、防災を目的とする区画整理はある。しかしそれらは複雑な町の機能を包みこんでの総合的な計画ではない。東京は一九二三年の大地震と四五年の焼夷弾爆撃で二度焼土と化した。そして焼土から不死鳥のように、建増し過程を通して、巨大な「カオス」として甦った。

家屋の、都会の、建増しの思想を、もっともよく象徴しているのは、首都の地下鉄工事かもしれない。フランス人は一九世紀末にパリの全旧市街をおおう地下鉄網を一挙に作った。計画は周到で、一〇〇年以上経った今でも、旧市街の交通に関するかぎり、ただ一本の新しい路線をつけ加える必要もない。われわれ日本人は戦前に一本を通し、戦後は五年に一本ずつ新しい路線を建増しして、今では東京の大部分のところへ地下鉄で行くことができるが、もっと路線があればもっと便利だろう(あるいはもっと金もうけができるだろう)ということで、地下鉄工事は今もつづいている。建増しは原則として無限につづき得るのである。鷗外は、昔『普請中』という有名な短篇小説を書いて日本社会の「近代化」を批判したとき、普請は過渡期のことでいつかは終るだろうと考えていたのかもしれない。しかし普請は実は建増しであって、東京の地下鉄工事のようにいつまでつづくかわからない。建増しの思想は日本文化の深いところまで染みこんでいる。

建増し主義からは伝統的空間意識の二つの特徴を予想することができる。すなわち「小さな空間」の嗜好と、左右(上下)相称性(シンメトリー symmetry)の忌避である。後者は「非相称性 asymmetry」の好みと言い換えることもできる。建増し主義の背景には、全体から細部へではなく、細部から全体へ向う思考の傾きがある。その傾きは、当然、細部すなわち「小さな空間」に注意を集中する心理的傾向を生みだすだろう。「小さな空間」が独立すれば、たとえば楽茶碗の「景色」が洗錬され、根付の彫りにおどろくべき工夫が凝らされるということになる。他方「シンメトリー」は対象の全体の設計に関わる。一本の軸、または一つの平面の両側に重ね合せることのできるような同じ大きさの同じ形を配するのが「シンメトリー」であり、建増しの結果として相称的な建物が成り立つことはない。日本文化の中の空間の特徴は、単に「シンメトリー」の不在ではなく、故意に、意識的に、ほとんど計画的に「シンメトリー」を避ける傾向である。たとえば桂離宮の建物の入口へ導く敷石の配置は、目的合理性のある一定幅の直線の左右相称性を避けて、不規則である。

このような二つの特徴が、いわば芸術的理想の一つの形成として完成したのは、一五世紀から一六世紀へかけての――そしてその後も今日まで継承されたところの――茶室の文化においてである。そういう問題については、つづく第二章において、芸術における空間の処理の仕方を具体的な作品に則して論ずるときに、詳しく触れる。

社会的空間の原型は、ムラだけではなく、またイエ(家)でもある。それは第三章の主題となるだろう。問題は、そこから農村共同体としての「ムラ」がほとんど消失し、家父長制的家族制度としての「イエ」が崩壊した後の状況へ続いてゆくはずである。

(1) 本書第一部第二章の本文(四六―四七ページ)、ならびにその原文として、その注(1)(九二ページ)を参照のこと。

(2) 「キリスト教の救済論はユダヤ人自身がつくったユダヤ人居住区からの解放をなしとげていくのであるが、このばあいにほかならぬこのキリスト教の救済論のまさに中心部分において、パウロの伝道は、捕囚の民の宗教的経験に発するなかばうずもれてさえいた一つのユダヤ教の教説と、結びついたのであった」(『古代ユダヤ教』上、岩波文庫、一九九六、一二三ページ)。

原文は次の通り。

Aber gerade in dem Kern des aus dem selbstgeschäftenen Ghetto befreienden Heilslehre des Christentums knüpfte die paulinischen Mission an eine jüdische, wenn schon halbverschüttete Lehre an, welche aus der religiösen Erfahrung des Exilsvolks stammte.

(3) 英国とロシアの二つの帝国主義が境を接したときには紛争がおこった。南下するロシアがトルコへ向ったとき、英国はフランスとともにトルコ側に立って、艦隊を黒海に送った(クリミア戦争、一八五三―五六年)。シベリアを支配したロシアが中国との国境を脅かしたときには、軍隊こそ送らなかったが、その他のあらゆる手段で、ロシアの膨張主義に抵抗する日本を援助した(日露戦争、一九〇四―〇五年)。第二次世界大戦後にはヨーロッパが東西に分割され、ギリシャの帰属がスターリンと英米の間で争われると、英米側はギリシャの内乱に強く介入した(内乱、一九四六―四九年)。

第二次大戦後いわゆる「東側」と「西側」との境界が確定し、もはやロマノフの帝政ロシアと英国との間ではなく、ソ連邦と米国との間で「冷戦」が戦われるようになると――それが二〇世紀後半の世界史である――、いずれの側も東西の境界を越えて軍事的に介入することがなかった。ソ連邦は帝政ロシアの拡張主義をひきついだのではない。モスクワの政府は、たしかに「社会主義圏」の内側では容赦なく武力を行使し、赤軍はブダペストに入った(一九五六年)。しかしオーストリアの国境を脅かすことはなかった。モスクワの政策は、かつてのロシアの膨張主義から、それ自身のなかに多くの、殊に経済的な問題を内在させていた「社会主義圏」の維持へ、すなわちその意味での守勢へ、転じていた。そのことは「冷戦」に伴った軍備競争においても、常に技術的に先行し優位に立っているのが、ソ連ではなく米国であった、ということとよく見合うだろう。

ソ連崩壊後のロシアがいかなる方向へ向うかは、まだわからない。

(4) 会昌は、唐、武帝の年号、八四一―八四六年。武帝は仏教を弾圧し、多くの僧が還俗《げんぞく》を強いられた。

(5) 中国を軍事的に占領してそこに王朝を建てた周辺遊牧民は、蒙古人だけではない。東北の満州族の王朝金は、一二世紀に北宋を破って、揚子江以北の地域を支配したが、全土を支配するには到らなかった。揚子江以南には南宋の皇帝が残り、金と南宋が併立した。中国の再統一は金と南宋を亡ぼした元による。その後一七世紀に、満州族は再び興って、全国を征服し、中国最後の王朝清を建てた。

清は、元と同じように、軍事的征服者が征服された民族の文化に同化された典型的な例である。清朝の下で儒学は大いに興った。彼らは知的に漢文化を継承して発展させた。しかし必ずしも明人の感覚的洗錬を受けつぐには到らなかった。たとえば色彩感覚。またたとえば水墨画の形象の独創性。揚州八怪も遂に明末清初の石濤《せきとう》に及ばなかったようである。対外的には、蒙古人の膨張主義がとどまるところを知らなかったのに対し、清朝はその領土と権益を拡張したのではなく、外国の帝国主義に奪われた(アヘン戦争から日清戦争まで)。

(6) 考古学的資料として北九州に青銅器があらわれるのは前三世紀頃、近畿地方を中心としての銅鐸は前一世紀頃である。二世紀には朝鮮半島から鉄を輸入していたという中国の文献があり、三世紀後半四世紀初には大型前方後円墳の副葬品に鉄製農耕具を見るという(歴史学研究会編、『新版 日本史年表』、岩波書店、一九八四)。もし石器時代・青銅器時代・鉄器時代を歴史の三段階としてみれば、日本列島の青銅器時代はきわめて短い。その理由は、石器時代の社会が、いきなり大陸の発達した鉄器文化と接触したからにちがいない。稲作の農業技術、金属製の農具、家畜は、弥生時代に文明の中心から辺境へ向って拡大したのである。

(7) 「朝貢」は周辺諸国と中国王朝との関係の典型であり、従属性の儀礼的制度化である。倭人の政権の場合にかぎらない。遣隋唐使は、七世紀にその基礎を固めつつあった大和王朝の外交使節であり、日本側からみれば対等関係の主張を含意する(聖徳太子が六〇七年に隋の煬帝に送った「日出ずる国の天子云々」の有名な国書はそのあらわれである)。最初の遣唐使は六三〇年、最後の遣唐使は八三四年。その間十数回。一行の人数はおよそ二五〇人から五〇〇余人、普通四隻の船に分乗した。航路は朝鮮西岸を北上して山東半島に上陸する北路と、奄美大島から東シナ海を横断して揚州へ向う南路があって、北路は朝鮮情勢に影響され、南路は季節風に脅かされた(安倍仲麻呂が帰路漂流して安南に到り、一度長安に戻った後、安南節度使に任ぜられたことはよく知られている)。

遣唐使の一行には、政府の高官と随員、船の乗組員(水夫)ばかりでなく、学者や僧侶や若い留学生が含まれていた。その目的は外交の他に、あきらかに情報の蒐集と人材の養成であったろう。彼らは唐の文物、書籍、資料を携え、しばしば帰化人技術者を伴って帰国した。

古代日本の政府が先進国「モデル」の制度改革(「律令制」)と技術輸入(たとえば平安京の都市計画)のために、大がかりな使節団と選ばれた留学生を送り出したのは、初期の明治政府が「近代化」のために行ったこととあまりちがわない。

(8) カミと天皇との連続性を、『古事記』を根拠として強調したのは、一八世紀後半の本居宣長である。その後の「国学者」たちは宣長に同調する。一九世紀中葉には水戸学派の儒者がそれに加わった。明治政府が作った天皇制官僚国家の「イデオロギー」の中心も、「万世一系」の「神聖ニシテ侵スベカラ」ざる天皇であり、周知のように一九三〇年代の軍国主義はその「イデオロギー」を誇張して狂信主義にまで変質させた。

(9) 『古事記』からの引用は、すべて、倉野憲司・武田祐吉校注『古事記　祝詞』(日本古典文学大系1、岩波書店、一九五八)の読み下し文による。

(10) 前掲書、一一一ページ、頭注三三。

(11) 伊波普猷《いはふゆう》(外間守善《ほかましゆぜん》校訂)『古琉球』(岩波文庫、二〇〇〇)、「琉球の神話」、三八八ページ。

(12) 沖縄周辺の島々の民間信仰と祭りは、島によって異同があり、複雑である。一般に政治的権力は男に、宗教的権威は女にある。この性別は琉球王国に固有で、大和との著しいちがいである(大和では神官が原則として男であったし、今でもそうである)。神女には二つの系統があり、その一つは王妃を長とする「司《ツカサ》」であり、公的な祭りを主催する。もう一つは民間の「ノロ」であり、一種の巫女、シャーマンとして、民衆の生活に浸透し、予言・死者との交流その他の多様な機能を果す。主要な神々には、来訪神と祖神がある。典型的な来訪神は、八重山のアカマタ・クロマタで、海の彼方のニーラスクに住み、島を訪れて穀物の豊饒をもたらす。海の道は地下に通じ、御嶽《ウタキ》の窪みから、異様な面を被り、草や木の葉を身にまとってあらわれ、踊りを踊った後、集落の各戸を訪れる。宮古島の祖神祭《ウヤガン》では、面を被り身体に泥を塗った祖神が、死者の行く他界＝暗いニイリヤ(ニッジャ)から現れる。祖神は海の彼方のニライカナイから来ることもあり、人々は浜辺で神を迎え、御嶽へ導く。琉球弧の精神生活はシャーマニズムと祖先崇拝と豊饒神を中心として営まれてきたようにみえる。それは仏教渡来以前の大和の精神生活を想像するための材料にもなるだろう。

(13) イスラーム圏では、すでに一四世紀の末に、イブン＝ハルドゥーン(Ibun Khaldūn, 1332–1406)がその大著『歴史』の序説に、世界各地の気候、歴史、種族、王権などを要約して叙述し、「このようにして本書は余すところなく世界の歴史を含む」と書いていた(イブン＝ハルドゥーン、森本公誠訳『歴史序説I』、岩波文庫、二〇〇一、三〇ページ)。著者は北アフリカで生涯を送ったが、グラナダにいたこともあり、北アフリカの歴史ではなく「余すところなく世界の」歴史を書こうとしたのである。その「世界」は円形で、周辺部を帯状の海がとりまき、その内側が陸地である。陸地には北西部から地中海が入りこみ、南東部からインド洋が入りこむ。陸地のおよそ三分の一の南部は「酷暑無人地帯」、最北部は「酷寒無人地帯」。陸地のおよそ中心に位置するシリアから、東へ行けばインドを経てシナに到る。西へ行けばヴェネツィア、その先にモロッコや今日のフランス西部(ガスマーニュやブルターニュ)に達する。一四世紀のイスラームの世界地図は、アメリカ大陸を除いてたしかに全世界を含んでいた。

他方早くも一五世紀初に明の大船隊は、永楽三(一四〇五)年鄭和の率いた第一次南海遠征以来七回の遠征を行い、マラッカ海峡を通り、インド洋を横切り、ペルシャ湾・紅海・アフリカ東海岸に達していた。

一五世紀末から一六世紀へかけては、ヨーロッパ人のいわゆる「大航海時代」である。彼らは西へ向ってアメリカを発見し、東へ向って日本へ達する。周知のようにキリスト教の日本布教計画に対する日本側の反応は、つまるところ一七世紀前半のキリシタン弾圧と第二次鎖国であった。一五世紀の日本人の生活空間は、大陸沿岸を荒した「倭寇」を除けば、主として日本列島の境界の内部に限られていた。一七世紀以後この傾向はもっと徹底する。一八世紀後半になってさえも、代表的な学者の一人、本居宣長は日本国が世界の中心であるかのような空想を主張していたのであり、宣長と論争した上田秋成が、オランダ人の「地球の図」を見れば日本は「ひろき池の面に、ささやかなる一葉を散しかけたる如き小島」(『呵刈葭』)にすぎない、と言ってからかったほどである。

(14) 福井勝義『焼畑のむら』、朝日新聞、一九七四、二八二ページ。福井氏によればその村では、イトコ同士の結婚が多く、義理の兄弟・姉妹の結婚もしばしばある。

集団内結婚(エンドガミー)を禁忌とするのは、あらゆる社会に共通の現象である、とレヴィ＝シュトロースは言う。ただしその集団の大きさ(エンドガミーの範囲)が著しくちがう。それが極端に大きいのは、人口の半分の内部結婚を禁じる部族の場合である。人口を両分しその一方に属する男(または女)は他方に属する女(または男)とのみ結婚することができる。内部結婚を禁じる集団が極端に小さいのは、それを「近親」とする場合である。たとえば近代キリスト教社会は近親結婚を禁忌とする。その「近親」の範囲は古代日本ではきわめて狭かったらしい。「古代歌謡」などの文献から推察すれば、厳しく禁じられていたのは、親子または同母兄弟姉妹間の結婚であり、異母兄弟姉妹間の結婚は少なくともある程度まで許容されていたらしい。エンドガミーの成り立つ集団は両親と同母の子供たちを含むにすぎない。そのことと孤立した村との関係はよくわからないが、境界の閉じた小社会では、結婚の禁忌の範囲を狭くせざるをえないだろう。もしそうしなければ結婚の相手を見つけることが困難になり、したがって当該小社会の存続が脅かされる。小社会は必ずしも山村ではなく、貴族社会であるかもしれない。

(15) 大塚久雄「経済学とその文化的限界」『国際基督教大学学報ⅢA、アジア文化研究、アジア社会の近代化考察14』、国際基督教大学、東京、一九八四(二月)、七—二四ページ。(大塚論文が書かれたのは一九八二年六月二五日)。

(16) 第二次大戦後関東の山村に暮したきだみのるもこの点に注目し、村内では村人どうしが売買でなく、贈答すると言い、贈答は贈られた物と厳密に等価的な(とされる)物を贈り返すという規則に従って行われる、と指摘している。

(17) 「よそ者」に対する村人の態度については、きだみのるの観察も全く同じ。
私はメキシコ・シティーで三つの価格体系の共存におどろいたことがある。百貨店の商品は市場価格。地下鉄の運賃は社会主義的価格で、タダ同然に安い。タクシーの運賃は、出たとこ勝負。私が滞在していたのは、サッカーの「モンディアーレ」が行われた年である。運転手に「よそ者」とみなされれば運賃は高い。しかしたとえばサッカーのメキシコ・チームについて喋り、そこに一種の連帯感、仲間意識が生じれば、半額となる。これは外から内への心理的移行である。

(18) オギュスタン・ベルク(宮原信訳)『空間の日本文化』、筑摩書房、一九八五、一六五—一六六ページ。原著は、Augustin Berque. *Vivre l'espace au Japon*, Presse Universitaire de France, Paris, 1982.

(19) 日本で広く受けいれられた仏教の他界は地獄極楽である。死後そのどちらへ行くかは、当人の生前の行いや信仰による。一種の審判が行われるという説もあり、そこまでのところキリスト教に似ていなくもない。しかし煉獄はない。仏教渡来以前の日本の他界は、柳田國男によれば生前のムラを見下す山の上である。先祖の魂はそこから子孫の生活を見まもり、必要があれば保護もしてくれる。そして一年に一度山を降りて生家へ帰って来る(その仏教と習合した形が盆である)。しかし沖縄では先祖の住む他界が海の彼方(海の上または下)にあり、そこからムラを訪れるという考え方もある。いずれにしても先祖の魂は他界からムラへ来るが、生きたムラ人が他界を訪れることはできない。『古事記』の神話には、生けるイザナギが死せるイザナミを追ってヨミノクニを訪ねる有名な話がある。ヨミノクニ＝他界は地下の暗い、怖ろしい場所である。イザナギはふり返らないという約束を破ったために追いかけられて、辛うじて脱出し、生者の世界へもどる。これは死せるエウリディケを連れもどすために他界へ行き、ふり返らないという約束を破ったために再び彼女を失うギリシャ神話のオルフェウスの話に似ている。『万葉集』には死せる妻を悼む人麻呂の歌があり、死者の行く所が山の彼方にあると人から聞いて、そこへ行き、辻に立って往還の人々を眺めてみたが、妻の姿はなかったと詠む。人麻呂の人伝てに聞いた他界は、イザナギの訪ねた他界ほど暗くも怖ろしくもなく、生者にとっての往来がはるかに容易で、あまり遠い所ではなかったと思われる。仏教以前の日本の他界は、証言者によるちがいが余りに大きく、よくわからない。おそらく人によって異なる「イメージ」をもっていたのだろうし、殊に地域と時代によって異なる考え方をしていたのであろう。しかしここでは一般に他界を遠い外部空間の一つの形式とみなしておく。「遠い」といっても、「西方浄土」ほど遠くはない。「西方浄土」が途方もなく遠いのは、本来それが日本製ではなく、誇張を好む唐天竺の想像したものだからである。日本では現世の空間も狭いが、他界を含む空間も大きくはない。

(20) 比嘉康雄(写真)・谷川健一(文)『琉球弧・女たちの祭』、朝日新聞社、一九八〇、一三〇―一三三ページ。

(21) 国家の水準では、精神的(宗教的)権威と国家権力(王)とが密接に係わることがある。天または神または教会が、王の正統性を保証するのが、その一つの場合である(天授また神授王権)。その場合には王(または皇帝)がそのまま神ではない。近代日本が明治天皇をそのまま神であると主張したのは特殊な例である。二〇世紀の前半に、「祭政一致」の「スローガン」を掲げたのは、発達した近代国家としては、さらに特殊である。天皇は「現人神」であり、「上官ノ命令ハ朕ガ命令ト思ヘ」(「軍人勅諭」)であるから、天皇を中心とする国家権力の意志には批判の余地がなく、国民ではなくて「臣民」(「大日本帝国憲法」)にすぎない日本の人民は、ただ命令に従うべきものであった。祭政の分離が実現されたのは、敗戦によりその「祭政一致」体制が崩壊した後のことである。

(22) 戦後日本の米国一辺倒は政府と外交政策だけのことではない。たとえば多くの国民は英(米)語を話さないが、英語もどきのカタカナ語を好む。「橋」と書くべきところに「ブリッジ」と書き、「路」と書くべきところに「ロード」と書く。何故か。日本語を知らぬ外国人のためではない。第一、外国人はめったにその橋を渡らず、その路を通らない、第二、たとえ外国人が現場に来ても、外国人がすべて米国人ではない。中国人は「橋」や「路」を解するが、「ブリッジ」や「ロード」を解さない、第三、日本語を知らない英語国民には、どうせわからない。それならばこの英語もどきは日本人のためでなければならない。それでも普通の日本語よりカタカナ語を好むのはなぜだろうか。言語の領域における対米劣等感以外の理由を、私には想像することができない。さればこそ日米関係は、中米関係や仏米関係とは根本的にちがうのである。

第二章　空間のさまざまな表現

建築的空間

茶室の空間

ムラ共同体が占有する土地の境界が原則として明瞭であること、社会的にもムラの内に住む人と外に住む人との差別が鋭いこと、その意味でムラの空間が外に対して閉鎖的であることについては、すでに述べた。そのムラの中の農家の周辺には、耕作用ではない大小の土地、今かりに「庭」とよぶ私有地が付属する。その庭はもちろん鑑賞用ではなくて、農業用の空間であり、農具の置場、牛馬の小屋、飼料の貯蔵、収穫の処理・保存などのために利用される。外部――隣家の土地や道路など――からは、しばしば生垣などによって遮断されている。住居はその庭に対しては開放的である。典型的な農家では、屋内に土間があり、土間の地面はそのまま庭につづいていて、少なくとも日中は入口の戸を開け放したままである。居間は土間よりも一段と高く床を張って、おそらく徳川時代以後その上に畳を敷いている家が多かった。庭に面した側にはほとんど壁がなく、部屋の外側に板敷の縁が庭に向って開いていて、縁と部屋とを隔てるのは障子にすぎない。障子を開けば、家屋内部と庭とは連続した一つの空間となり、家族はそこで生活し、労働し、その全体を耕地での農業につなげていたのである。

家屋の庭に対する開放性は、生活の空間の外部に対する開放性を意味しない。なぜなら庭は家屋の内部の延長にすぎないからである。別の言葉でいえば、庭が家の内部まで侵入していたということであり、家屋には厳密な意味での内部がなかったからである。日本の農業人口の大部分が住んでいた空間は、二重に閉鎖的な空間、すなわちムラ共同体の地域と、その中での私的小空間＝家屋・庭の複合体《コンプレックス》に他ならない。私的小空間内部での区分は明瞭でなく、家屋の内側と庭とは縁側を媒介としてつながり、部屋と部屋とは、辛うじて障子や襖《ふすま》によって隔てられているにすぎない。

もちろん住居の構造が大きな開口部を特徴としてきたことには、自然的条件の働きもあったにちがいない。日本列島の大部分の地域では、北東アジア大陸の中国や朝鮮半島にくらべて、冬はあまり厳しくなく、夏は高温と高湿度が不快である。暖房設備が発達せず、風通しのよい住居を工夫したことには、少なくともある程度の合理性があるだろう。また技術的な可能性ということもある。周知のように日本の伝統的家屋は、どの時代でも、どこでも、ほとんどすべて木造。柱と屋根の構造で、壁の支えはない。したがって側面を思うままに広く開けることができる。同じ条件は石造またはレンガ造りを主とする南ヨーロッパにはなかった。

このような農家の建築が様式として固定し、普及し、全国に及ぶとともに、それとは全く異なる目的、すなわち美的目的のために、その様式を利用し、変形し、そこから抽き出せるものを抽き出そうとすれば、どういう新しい様式に到達するだろうか。それが茶室である。より正確にはしばしば「日本的なるもの」の集約的表現とされる利休の茶の体系と、その中での茶室である。茶室は庭に対するものではなく、庭の一部であり、茶室の空間の延長は周囲の庭である。建物とその近傍を構成要素とする一つの空間という観念は、農家と茶室をむすびつけるだろう。ちがいは前者の空間を支配するのが労働であり、後者のそれを組織するのが美的関心だということだけである。しかしここでの美的関心は、保守的な、伝統的な美的価値をもとめる関心ではなくて、全く革命的な、伝統破壊的な価値観への「コミットメント」を中心とする関心である。『南方録』は定家の歌を引いて、「見渡せば花も紅葉もなかりけり」という。「花も紅葉も」の豪華壮麗は、伝統である。それに対し「浦の苫屋」の貧しく飾り気のない「わびしさ」の美は、革命である。宋磁や李朝の名品の評価は保守的であり、井戸茶碗や長次郎の楽焼の発見は革新的である。利休は茶室を小さくして、遂に二畳の待庵にまで到った。これは接客の空間としておそらく最小限度であろう。日本の文化と技術が生みだした最大の木造建築が東大寺の大仏殿であるとすれば、最小の建築は利休の考えた茶室である。材木は塗らず、皮をつけたままの丸太を柱として用い、壁は土壁のままでその上に表面の処理を施さない。室内の装飾は、茶道具の他に一輪の花と一幅の軸のみ、軸は墨跡を好んだといわれている。その小さく、軽く、めだたない建物は、植え込みのある庭の環境に静かに融けこんだにちがいない。というよりも利休は建物と環境を一つの空間として設計したのであろう。ここでは建築が環境と対立せず、時間に抵抗しない。建築はそれ自身を否定する構造であり、季節とともに変り、年とともに消えてゆく人生の——もしその言葉を用いるとすれば「無常感」の表現である。その表現に達するために、「侘び」の茶の空間を設計者は、利用することのできる手段——多様な材質、多様な色彩や形、高度に発達した技術、要するに表現手段の多様性を極度に制限した。その理由は、多くの民家の場合のように経済的なものではない。茶を好んだ独裁者秀吉の信頼を得ていた利休は三千石の禄を食んでいたとさえいわれる。また西洋の一二世紀のシトー派僧院のように宗教的思想的な禁欲の徹底によるのではない。利休と親交のあった禅僧たちは聖ベルナールが修道士に規律を課していたように利休を監督していたのではない。彼が茶室を簡素にしたのは、芸術的表現において、手段の豊富と表現の豊富とを、別の二つのこととして理解していたからにちがいない。用いる音素の豊かさは、必ずしも音楽の質を高くしない。絵具の多様性は、必ずしも絵画的表現の発展を保証しない。ソロモンの大きな花束も野の百合の一つに若かないということがある。そのことの理解は、一五・一六世紀の日本において、利休だけのものではなかった。たとえば世阿弥は能役者に、効果をもとめて言い過ぎるな、演じ過ぎるな、といっていた。「せぬ間」の余情を彼は強調し、動かない沈黙の時間が豊かな表現であり得ることを指摘したのである。それが芸術的表現一般の問題であって、「日本的な」特徴でないことはいうまでもないだろう。柱頭の彫刻も、窓の焼絵ガラスも、壁画も、一切の装飾を禁じられたときに、シトー派の修道士たちは、彼らの礼拝堂をその建築的構造の調和のみによって美化した。そこでは幾何学的構造そのものが実に美しい歌を唱っている。あらゆるイコーンを排するイスラームの大寺院をコルドヴァに築いた回教徒たちは、巨大なドームを支える無数の柱の配置によっておどろくべき魅惑の空間を作り出した。その柱の間を縫《ぬ》って歩けば、柱と柱の間の距離は、ここでは縮まり、かしこでは伸び、当方が動くのか柱の林が動くのかわからなくなるような異様な感じの世界へひき込まれる。西欧に広がったシトー派の修道士たちも、インドのデカン高原からイスタンブールを通ってイベリア半島に及ぶ地域に広がった回教徒も、彼らはみな限られた手段で建築的空間を活性化する方法を知っていた。

環境に対して自己を主張しない「利休好み」の茶室の特色は、ありふれた素材を用いて内部の空間の全体を構造化するのではなく、その細部を限りなく洗錬してゆくことである。たとえば土壁。すでに部屋が小さい。その中の一部である壁の平面はさらに小さい。周囲から切り離してその平面だけに注目すれば、上塗りしない表面は、その生地の感触（texture）や明暗や色調において複雑微妙を極める。それはほとんど抽象的絵画を眺めるような印象をあたえる。たとえばジョルジュ・ブラック（一八八二―一九六三年）の砂を混ぜて灰色に塗られた色面の繊細な明暗を思い出させるだろう。しかも茶室が細部の洗錬へ向う意志はそこに止まらない。茶室の中には茶碗がある。それを手に取り掌の上で廻せば「景色」が移る。「景色」は茶碗の外側をめぐる釉薬の発色で、向きによって異なる複雑な姿をいう。庭から茶室へ、茶室から茶碗へ、茶碗からその景色の「うつろい」へ、そして最後に茶碗の内側の赤やねずみ色や黒にかこまれた茶の緑の色彩の対照に到る。空間の細部の美的感覚的洗錬をそこまで追いつめていった例は、おそらく他に少ないだろう。それが日本の一六世紀に起こった美学革命である。その影響は今日まで続いた。

水平線志向

日本の建築的空間の特徴の一つは、強い水平線志向であり、高さを強調する建物は少ない。大陸の仏教寺院の屋根の勾配は日本へ輸入されると水平に近づく。軒先の反りはわずかな痕跡を残して直線に近づき、稜線上にならぶ魔除けの小像もほとんど消える。たとえば唐招提寺の美しい屋根。中国から鑑真和尚は来たが、屋根の急傾斜と強い反りは来なかった。和尚が創建した寺(八世紀)においてさえも。社寺も住居も、二階を越えることは少なく、内部空間は必要に応じて水平面に沿って展開された。神社には、伊勢神宮にも出雲大社にも、付属する塔がない。寺院の建物群は仏塔を含む。それが中国では一三層と高くなることがあるが、日本ではほとんどすべて五重塔か三重塔で、それ以上の高さの建物は例外にすぎない。中国にかぎらず西洋でも中世からの教会建築には高い塔を築く傾向があり、たとえばヴェネツィアのサン・マルコ広場の塔の高さはほとんど一〇〇メートルに及ぶ(一二世紀)。イスラーム寺院の「ミナレット」にも高いものがある。なぜ日本人は、高度の木造建築技術を修得した後にも、五重塔よりも高い建物を建てようとしなかったのだろうか。

周知のように五重塔の中には下から見上げるように造られた例が少なくない。本堂と同じ平面ではなく一段と高い山の斜面に五重または三重の塔を築く。たとえば宝生寺(九世紀)の五重塔は、高い石段の下から眺めれば、五段の高さに塔の高さを加えた構造物としてみえる。浄瑠璃寺の小さな三重塔も本堂から池を隔てて望めば、対岸の丘の中腹にあるので、高い塔の遠望の印象をあたえる。世俗的な建築では、一六世紀末・一七世紀初に盛んに造られた天守閣の遺構が多くの地方の都市に遺っている。町と同じ水準に築かれたものもあるが(江戸城)、市中または郊外の小高い丘に濠をめぐらし、石垣をかため、多かれ少なかれ城砦化して、天守閣を一段と高くしたものもある(熊本城)。天守閣の設計者も、五重塔の場合と同じように、建物の高さがあたえる効果に無関心だったわけではない。

しかし五重塔にも天守閣にも共通しているのは、その外観に天を指して昇る垂直線の強調がないことである。五重塔の四方につき出す廂は、あらゆる垂直線を断ち切る。ここではいかなる線も上昇しない。いわんや、頂上で集束するということはない。天守閣では廂が小さく、白い塗り壁の目立つことが多いが、先の尖った細長い窓も、下から上までを貫く柱の線もみえない。五重塔も天守閣も、それぞれ高さを以て訴えるが、ゴシックのような垂直様式(perpendicular style)ではない。

五重塔の内部の空間は、普通一階を利用するのみ。そこに本来仏舎利を置く。後には仏像を置き、経巻を置き、高僧の骨を置くこともある。高さは外観に限られていて、扉を開いて内側へ入れば、天井と床の間に四方を壁にかこまれた狭い小さな空間があるだけである。天守閣の場合には下層から上層へ向って階段を昇ることができる。しかし各階の部屋には天井すなわちその上の階の床があり、吹き抜きの空間はない。したがって高さを感じるのは、部屋またはその外部をとりまく回廊から外の景色を眺めた時だけである。天守閣は空を見上げる装置ではなく、地を見下ろす足場である。

見はらしの良さには、軍事的意味もあったろう。内乱の時代——一四世紀から一六世紀末にかけての山砦はその例である。しかし徳川時代になって築かれた天守閣に軍事的意味はほとんどなかった。天守閣の高さは、支配者(領主)と被支配者(臣民)との社会的身分の上下関係の象徴であり、威圧的な効果を目的としていたにちがいない。すなわち室内の「上段の間」の延長である。寺院の五重塔と政治的支配者の天守閣を除けば、日本の集落に高い構築物はなかった。町や村には火見櫓があったが、その高さは芝居の八百屋お七が梯子でよじ登れる程度のものにすぎない。

高さを志向せず、垂直の線に沿って広がらない日本の町や住居は、水平に、自然発生的に広がる。その平面的な空間の内側は、どういう原理によって構造化されるか。町の場合には、地形に応じて自然発生的で、その全体を定義する明瞭な原理はない。あるいは形式的な原理がなく、機能的な原理のみが働くといってもよいだろう。たとえば巨大都市東京について建築家芦原義信氏は「カオス(混沌)」の語を用いた(『東京の美学——混沌と秩序』、岩波新書、一九九四)。そう言ったのは、芦原氏だけではない。しかし彼はそれだけではなく、東京の機能(安全、公衆衛生、郵便、電話等)の効率を強調し、それを「隠れた秩序」とよんだのである。そのことにも私は賛成する。しかしそこから「美学」について語るのは無理だろうと思う。水道の水をそのまま飲んで下痢しないのは、すばらしい機能である。しかし公衆衛生の高い水準を支える秩序は、美的秩序ではない。要するに芦原氏の指摘は、大都会の美学的カオスは必ずしもその機能の低水準を意味しない、ということである。

個別の建物はカオスではなく、地表に沿って平面上に、二つの原則にしたがって展開する。原則の一つは、天へ向って上昇する空間――西洋中世のゴシック聖堂において典型的な空間――とは対照的に、「オク」へ向って入り込もうとする空間である。入口から入って「オク」へ向う運動は、上を仰いで「尖塔アーチ《オジーヴ》」へ向う視線の動きを横倒しにしたものだ、ともいえるだろう。原則のもう一つは、建増しである。機能に応じてまず一部屋を作り、同様に必要な第二の部屋を加え、「建増し」過程がすべての機能的必要を満した時、または予算の尽きた時、設計中ならば平面図の作画をやめ、建設中ならば建設を終る。最終的に全体がどういう形になるかは、少なくとも仕事を始めた時に誰にもわからない。これはゴシック聖堂の場合と根本的にちがう点である。西洋の大聖堂の建設は数世紀にわたることがあるが――そういう例は日本の寺社にはおそらく一つもなかった――、数世紀後に聖堂全体がどういう基本的な形をとるかは初めからわかっていた。建物の平面図は十字架の形で、主要な入口が西に面する。西洋ではまず全体の形を考え、それを分割して、それぞれ特殊な目的の小空間を作る。日本では原則として部分から出発して全体に到る。

この二つの、おそらく「日本的」といえるだろう空間処理の特徴、すなわち「オク」原則と「建増し」原則が、もっとも典型的にあらわれているのは、宗教的建築では神社であり、世俗的建築では徳川時代の武家屋敷であろう。神社の例は出雲大社や伊勢神宮を初めとして枚挙に遑《いとま》がない。武家屋敷の遺構は全国に散在するが、そればかりでなく、平面図の残るものが多い。しかもその大部分が徳川時代のもので、大陸からの直接の影響はおそらくほとんどない。建築的空間に対する「日本的」な態度を考えるためには便利な資料である。

非相称性の美学

日本美術の特徴として早くから指摘されていたのは、(左右)相称性(symmetry)の不在、または非相称性(asymmetry)の強調である。[1] それがもっとも鮮やかにあらわれているのは、建築と庭園においてであろう。

絵画は描く。自然があたえるその対象の多くは左右相称ではない。それを縮小し、稀には拡大し、抽象化して二次元の空間に投影し、おそらく環境の理解や記憶を助けるために、描く。絵画の歴史をどこまでさかのぼっても、旧石器時代の岩窟の壁画に到ってさえも、画面に左右相称的な構図を見出すことは困難なようである。

建築は描かない。それ自身の外部にあるいかなる対象も記述しないし、環境のいかなる要素も反映しない。窓は外部を反映するのではなく、外部に反応する装置である。建築や庭園は、祈るため、儀式や魔術を行うため、商売を営むため、家族が寝起きするため、それぞれ特定の目的のために、建築家が特定の空間を彼自身の考えと好みに従って構造化する空間である。建物は厳密に左右相称的なことも、全く非相称的なこともある。その間に相称性のあらゆる段階があり、それが建築家とその文化に条件づけられていることはいうまでもない。すなわち一方に古代ギリシャの神殿からパラディオ(一五二〇—一五八〇年)に到る相称性があり、他方には桂離宮や茶室の徹底した非相称性がある。庭園についても同じ。ルノートゥル(一六一三—一七〇〇年)は広大な地域に造園のあらゆる要素、植込みや花壇、水や芝生、大理石の彫刻や手すりなどを、左右相称の幾何学的図型として整然と配置する。およそ同時代に桂離宮の造園家は、小さくかこまれた空間に日本全国の名所の風景を縮小して再現した。その庭の中の小径を辿れば、展望は千変万化する。そこに相称性はなく、幾何学的配置はない。非相称性を中心とする空間の分節化・構造化は、建築と庭園においてもっとも典型的にあらわれる。

建築的造形の相称性を、大きくみれば、中国・西洋・日本の文化はそのまま三つの類型を代表すると言えるだろう。中国は徹底した相称性文化の国であり、日本文化は正反対の非相称性に徹底する。西洋はその中間に位置する。すなわち西洋の伝統では、ほとんどすべての紀念碑的建物が正面の左右相称性を強調する。それは宗教的建物(教会や墓所)の場合でも、世俗的建造物(王宮や市庁舎)の場合でも変らない。しかし私的な個人住宅に相称構造を見ることは、例外的な有力者の大邸宅を除いて、きわめて稀である(たとえば南フランスの中世都市カルカソン)。しかるに中国では紀年碑的建築はもちろん、私的住宅にさえも左右相称の原理が徹底することがある。前者の例は、北京の紫禁城であり、敷地内の建物の配置、建物それ自身の構造、内装の細部に到るまで相称性が浸透して余す所がない。その高い城壁の内側へ入れば、直ちに相称性によって秩序づけられた空間の中に包みこまれる。そこには明朝の皇帝の権力と豪華さとともに空間の合理的秩序があって、はるかにルイ王朝のヴェルサイユ宮の幾何学的空間と呼応している。中国の伝統的な個人住宅の左右相称性は、その典型的な例を北京の四合院に見ることができる。道路に面して、左右の壁の中央に入口の開口部がある。建物は四方から中庭――その中央にしばしば樹木や井戸がある――をかこみ、各部屋は中庭に向って開いている。四合院は北部(北京、天津)で発達したが、その影響は遠く甘粛省にまで及んだという[2]。

中国文化における相称性の強調は、建築様式にかぎらない。いわゆる殷周銅器に早くもその特徴はあらわれているし六朝以後の陶磁器においてはさらに徹底する。また周知のように唐代以後の「近体詩」の詩法は、対句の規則を制度化した。対句は概念の相称的配置である。対句に似た修辞法は、日本やヨーロッパの詩文にもないことはないが、中国の場合にくらべれば、それはほとんど例外にすぎない。中国では対句こそが詩法の中心にあり(殊に「律」)、散文においてさえも広く用いられたことがある(六朝以来の駢儷体)。相称性の好みは、都市計画、建築の外観と内装、家具や器から、定型詩の概念的構築にまで、一貫するのである。そういうことが一〇〇〇年以上も続けば、規則や習慣は内面化され、日常生活の中にまで浸透することになるだろう。[3] 相称性嗜好はなぜ起こったか。それはわからない。その背景には環境を理解する道具としての陰陽説があるのかもしれない。陰陽に正負を割りあてゼロ点を図面の中央に置けば、容易に左右相称が得られる。しかしここではその問題に立ち入らない。

西洋はながい間中国を知らなかった。日本は中国文化の強い影響を受けながら、左右相称志向を受け入れなかった。もちろん中国モデルで京都を作ったときには、モデルの左右相称性が京都にも移された。「洛中洛外」などという表現にもそのことはあらわれている。大陸のモデルに従わない日本の町が碁盤目状の道路を持つ例は、おそらく一つもない(大坂、江戸)。法隆寺を例外として、大きな仏教寺院の伽藍配置も同じ大陸モデルに従っている。一例を挙げれば、四天王寺(六世紀末から七世紀にかけて聖徳太子が造営したとされる)では、真中の軸線上に中門・塔・金堂・講堂をならべ、中門と講堂をつなぐ回廊が塔と金堂をかこい込む。日本の伽藍配置にもいくつかの型があるが、いずれも左右相称であるのは、大陸の寺院の例を模倣したからである。神社の建築は、仏教寺院のそれの影響を受けて成り立った。しかし、それは寺院の忠実な模倣ではなく、一種の「日本化」である。そこでは境内の建物の配置に、仏教寺院の場合のような厳密な左右相称性はない。「日本化」は常に相称性を排除する方向へ進むのである。

中国文化の強い相称性志向の背景に陰陽の二分法があったとすれば、それとは対極的な日本文化の非相称性強調の背景には何があったか。街道に沿って発展した町、農家から武家屋敷までの建築の平面図、桂離宮の建物と庭、茶室とその周辺の美学、――そのどこにも相称性を含まない空間の秩序は、どういう文化的特徴を条件として成り立ったのか。

日本語の定型詩が対句を用いるのはきわめて稀である。詩論、すなわち平安時代以後、殊にその末期に俊成・定家父子を中心として行われた「歌論」が対句に触れることもない。その理由は比較的簡単で、要するに日本では『古今集』以来極端に短い詩型(いわゆる「和歌」)が圧倒的に普及したからである。音節の数では和歌(三一)は五言絶句(二〇)よりも多いが、語数では和歌の方が少なく、対句を容れることはほとんど物理的に不可能である。しかも後には連歌から「俳句」が独立して和歌(または短歌)に加わる。俳句はおそらく世界中でも最短の詩型の一つであろう。俳句はそれ自身が一句だから、対句は問題にならない。『万葉集』の時代には「長歌」もあったし、『梁塵秘抄』の時代には「今様」もあった。しかしそのどちらにも二行を一組として扱う対句の多用はみられない。『万葉集』の長歌の技法には、相称的な形容句を重ねて用いる修辞法が含まれるが、その場合にも相称的表現が作品全体の構造に決定的な役割を果したわけではない(4)。今様は四行の歌詞である。その二行が中国風の対句を作る例は、現存する本文に関するかぎり、ほとんどない。要するに極端な短詩型の支配は、左右相称の言語的表現を排除したと思われる。

しかしそのことは造形的表現における相称性への抵抗を説明しない。抵抗の背景は、あたえられた空間の分節化・構造化の過程が、全体の分割ではなく、部分からはじめて全体に到る積み重ねの強い習慣であるのかもしれない。別の言葉でいえば、「建増し」主義。建増しは必要に応じて部屋に部屋をつないでゆく。その結果建物の全体がどういう形をとるかは作者の第一義的な関心ではない。先にも触れたように一七世紀前半の武家屋敷では、途方もなく複雑な形をとる。あれほど複雑な平面図があらかじめ計画されていたとは考えられないだろう。建増しの結果は複雑なだけではなく、優美で調和的な全体でもあり得る。たとえば桂離宮。しかし左右相称は全体から出発することを求める。二等辺三角形は三つの頂点の位置関係の全体によって決まるので、その三点に石を置くか、三人の人物を配するかは、各点(部分)の性質とは係わらない(全体から部分へ)。部分から全体への建増し主義が左右相称に偶然行き着くことはあり得ないだろう。それは処理すべき空間の大小に係わらない。把手は襖の部分、襖や棚は書院の部分、書院は建物の、建物は庭園の部分である。部分と全体の関係は遍在し、部分が全体に優先する——細部は全体から独立してそれ自身の形態と機能を主張する。それが非相称的美学の背景にある世界観であろう。その世界観を時間の軸に沿ってみれば「今」の強調であり、空間の面からみれば「ここ」、すなわち眼前の、私が今居る場所への集中である。時間および空間の全体を意識し、構造化しようとする立場に立てば、相称的美学が成り立つ。相称性は全体の形態の一つだからである。時空間の「今＝ここ」主義を前提とすれば、それ自身として完結した部分の洗錬へ向うだろう。

山国の「自然」にも間接の役割があるかもしれない。この国にはアジア大陸の広大な沙漠や草原がない。人は谷間や海岸の狭い平地に住み、大きな町は四方または三方を山脈にかこまれた盆地に発達する。風景はどの方向を眺めるかによって異なり、日常生活の空間があらゆる方向に均質に広がってはいない。京都の東山と西山の山容はちがう。北山と南に開ける平野とは地形が異なる。深い杉の林の斜面と大小の河川が海に注ぐデルタ地帯。ここに「自然」の相称性は全くない。自然的環境は左右相称性よりは非相称性の美学の発達を促すだろう。

社会的環境の典型は、水田稲作のムラである。労働集約的な農業はムラ人の密接な協力を必要とし、協力は、共通の地方神信仰やムラ人相互の関係を束縛する習慣とその制度化を前提とする。この前提、またはムラ人の行動様式の枠組は、容易に揺らがない。それを揺さぶる個人または少数集団がムラの内部からあらわれれば、ムラの多数派は強制的説得で対応し、それでも意見の統一が得られなければ、「村八分」で対応する。いずれにしても結果は意見と行動の全会一致であり、ムラ全体の安定である。

これをムラの成員個人の例からみれば、大枠は動かない所与である。個人の注意は部分の改善に集中する他はないだろう。誰もが自家の畑を耕す。その自己中心主義は、ムラ人相互の取り引きでは、等価交換の原則によって統御される。ムラの外部の人間に対しては、その場の力関係以外に規則がなく、自己中心主義は露骨にあらわれる。このような社会的空間の、全体よりもその細部に向う関心がながい間に内面化すれば、習いは性となり、細部尊重主義は文化のあらゆる領域において展開されるだろう。空間の構造化は、全体を分割して部分に到るのではなく、部分を積み重ねて全体を現出させる。建増し過程のそれぞれの段階にそれぞれの全体像がある。建物の全体が部分を意味づけるのではなく、全体に係わらずに細部はそれ自身で完結した意味をもつのである。そこから非相称的空間の美学までの距離は遠くない。ヴェルサイユの庭にとって決定的なのは、全体の整然たる見透しであり、その建物にとって重要なのは、中央部と左右両翼の均衡である。桂離宮の廻遊式庭園において決定的なのは各部分の風景の多様性であり、建物の魅力は部屋ごとに異なる内装の細部と窓の眺めである。この対照的な相違の背景は、思考と感受性の型のちがいであり、そのちがいは遠く自然的および社会的環境のちがいに、少なくともある程度まで由来するのであろう。しかしそれだけではない。

非相称性の美学が洗錬の頂点に達するのは、茶室の内外の空間においてである。その時期はおよそ一五・一六世紀の内乱の時代(戦国時代)と重なっていた。なぜだろうか。内乱は多くの町を物理的に破壊した(殊に一五世紀中葉の応仁の乱は長い間文化の中心であった京都を焼きはらった)ばかりでなく、社会秩序を破壊し、権力を分散させた。九州から東北地方に及ぶ各地域に武士団が割拠し、対抗し、その全体を統御する経済的・軍事的力は、もはや京都の公家にも武士権力(幕府)にもなかった。ムラ社会全体の極度の安定が人の注意を細部に向けたとすれば、武家社会の全国的な流動性(「下剋上」と内乱)、その全体の秩序の極度の不安定も、社会的環境の全体からの脱出願望を誘うだろう。ムラの安定性が用意した心理的傾向(mentality)は、全国的内乱の不安定性によって強化される。それは必ずしも因果関係ではないが、武士の頭領たちが権謀術数の世界から逃れて茶室の静かな空間へ向う傾向を援けたにちがいない。その空間は自然と歴史に抗して左右均衡の構造を主張するのではなく、自然の中で時間の移りゆきに従いながら細部を限りなく洗錬する。大きな自然の小さな部分としての庭、その中へ吸いこまれるように軽く目立たない茶亭、その内部の明かり取りの窓、窓の格子に射す陽ざしが作る虹、粗壁の表面の質と色彩、茶道具殊に茶陶、その釉薬がつくる「景色」の変化……[5]。そこには相称的な構造を容れる余地が全くない。そこにあるのは非相称的空間であり、その意識化としての反相称的美学である。意識化(prise de conscience)は一五世紀の村田珠光にはじまり、一六世紀の千利休に到って徹底し、いわゆる「侘びの茶」の体系として完成する。これは一種の美学革命である(その思想的背景は禅[6])。その後の日本美術への影響は、広汎で深い。

絵画の空間

開閉する空間と絵画

絵画の空間には二種類がある。描かれた空間(たとえば雲に乗る阿弥陀仏とその周辺、相模湾の舟上から眺めた富士)と、描く空間(すなわち画面、四方をかこまれた二次元の空間)である。前者は小さいこともあり(静物画)、大きいこともある(風景画)。後者は一般に小さい。描く対象が大きい絵画の第一の機能は縮尺であり、現実の対象の全体を理解するために必要な手段である(たとえば南フランスやアフリカ東南部に見られる旧石器時代の岩窟の動物壁画)。その機能は地図に似る。その手段は言語の象徴主義と異なる。絵画は対象を象徴するのではなく、縮尺して写すのである(写生)。

日本の絵画にはどういう空間が描き出されていたか。古代日本の絵画的表現の代表的な形式は、中国の画巻の影響のもとに発達した絵巻物である。平安時代から鎌倉時代にかけて多数作られた。現存するものだけでも一〇〇種を越えるという。その内容は、かな物語、仏教説話、高僧伝、社寺縁起など多岐にわたる。その話が展開する空間は時代とともに変わり、大小があり、広狭があり、開閉がある。平安時代の中期に『うつほ物語』(挿絵は現存しないが、写本はその痕跡を示唆するという）の主人公は、どこだか特定できないがアジア大陸の遠い外国、「波《ハ》斯《シ》」の国まで行く。『源氏物語』の主人公が京を離れて行く遠い僻地は須磨・明石である。およそ一世紀ばかりの間にかな物語の舞台は縮小した。同様に『万葉集』の歌人たちが旅した空間も『古今集』の時代にははるかに狭くなった。『万葉集』の歌人の行動範囲は九州から東国にまで及ぶが『古今集』の宮廷歌人たちの舞台はほとんどすべて京都の周辺を出なかった。例外は「歌枕」だが、それの多くは吉野の山や伊吹山や小倉山のように、都から遠くない。これは政治的支配の範囲が縮小したのではなく、文化が狭い空間のなかでの細部の洗練に向ったからである。行事、儀式、衣服、言葉、感覚と感情の細部など、詳しくは『枕草子』に見ることができる。

しかし平安時代の全国的な貴族支配が崩れるとともに、絵巻物の世界も再び広がる。鎌倉時代初に西行の足跡は鎌倉や四国にまで及んでいた。一遍上人（時宗教団を率い、踊り念仏を行う）に到っては西行よりはるかに広くほとんど全国を遍歴した。《一遍上人絵伝》は一三世紀の代表的な絵巻物である。各地の風物、社寺の景観や四季の自然、各種の風習や踊り念仏その他の行事、武士・庶民・各種商いの男女から子供、巫女、僧侶、「非人」までの生活を描写して、正確である。その画面は、上人の旅の物理的な環境の拡大を反映するばかりでなく、社会的環境の広がりをも反映して画期的である。技法的にはいわゆる「大和絵」の影響があり（雲や霞）、中国の風景図巻の写実主義の影響もある(社寺の建築、その環境、人物の表情・衣服・活動など)。このような絵巻物の出現(一三世紀末、上人の弟子による)は、日本文化史のなかで閉鎖的な文化空間が固定したものではなく、それを破る開放的傾向と交替して現れたということを示していると考えてよいだろう。《源氏物語絵巻》の極度の美的洗錬を、一遍上人が生きた一三世紀に期待することはできなかった。また《一遍上人絵伝》の開かれた空間の意識が、平安朝中期の貴族社会に生れるはずはなかった。日本国という空間がもう一度外へ向って閉じるのは、一七世紀以降(「鎖国」)であり、再び開くのは一九世紀中葉である(強制された「開国」)。開国的傾向と鎖国的傾向、文化的選択肢の多様化と保守的統一、民権拡大と国権強化の時期は、交替してあらわれた(7)。

画面の二次元空間そのものをどう秩序立てるか。それは構図の問題である。東北アジアの伝統的絵画の特徴の一つは、そこにある。すなわち画面の一部に何らかの対象(たとえば吟行する人物、花をつけた梅の枝、水上に浮かぶ水鳥など)を描き、大きな部分を空白のままに残す手法がそれである。描かれた部分が、描かれない空間を活性化する。たとえば吟行する人物は、画面の中央にあり、左から右へ歩くことで、空間を方向づける。梅の枝は何もみえず誰もいない静かな空間を微風と花の香りで満す。水上を滑るように泳ぐ水鳥がつくるさざ波は、画面の全体を小川の淀みの豊かな水面に変えてしまう。しばしば——しかし常にではない——省筆画法とからんで、このように空白を活性化する手法を駆使したのは、おそらく六朝に発し宋元画において頂点に達した中国の水墨画の伝統である。水墨画の技法は禅宗とともに日本へも入って来て、一三・一四世紀以後時とともに普及した。徳川時代になると、文人画家はもとより、琳派から狩野派まで、職業的な画家で水墨画を描かなかった者はほとんどないほどである。(8)

日本の芸術家たちが中国の伝統から受け入れたのは、第一に、画面に大きな空白を残すことであり、第二に、その空白を活性化する微妙な構図である。彼らはそこに何をつけ加えたか。琳派は空白に多かれ少なかれ似た対象をいくつか描き込むことによって空間を分節化し、秩序づけた。決定的なのは対象の位置関係であって、個別の対象の性質ではない。たとえば三角形の頂点に人物を配置しても、花樹を描いても、三角形の空間の構造は変らない。すでに牧谿《もっけい》(一三世紀)は画面中央の水平線に沿って、およそ一列に柿の実をならべることによって、他には何もない画面を上下に二分していた(《柿図》、大徳寺蔵)。それより早く《源氏物語絵巻》の画家は多くの画面を、吹抜屋台の斜めに走る直線と垂直線によって、いくつかの区画に分割していた。(9) 俵屋宗達は《風神雷神図屛風》では風神雷神を画面の左右に配して中央を空白とし、《舞楽図屛風》では金箔の地の中央に激しく動く四人の踊り手を描き、そこから離して周辺に静かな踊り手、白衣の老人、松の一部、奏楽の舞台装飾などを配した。画面中央の空白は雷鳴のとどろく嵐の空間となり、四人の踊り手が衣裳をひるがえして踊り、舞い、支配する舞台となる。

およそ百年の後、尾形光琳は、《風神雷神図》を模写し、《舞楽図》ではまだ主人公であった個別の踊り手たちを横にならべた竹の幹に還元する。画面を支配するのは、もはや個別の竹の形——それはほとんど同じである——ではなく、その位置関係である。というよりも、竹の幹の上部と空、下部と地面はみえず、すべての幹が垂直だから、その間の、あるいは狭く、あるいは広い距離関係がつくる「リズム」が決定的である。竹が水墨画の伝統的主題であることはいうまでもないが、光琳の「竹園」のかくれた主題は竹ではない。二次元空間の詩的幾何学である。その大画面における複雑で豊かな展開が《燕子花《かきつばた》図屏風》(根津美術館)である。ほとんど同じ対象(の「イメージ」)の反復という方法は、水墨の竹の幹から彩色のかきつばたの花と葉に一貫している。それはまた光琳のみならずいわゆる「琳派」の仕事のいたるところにあらわれていた。たとえば尾形乾山の《立葵図屏風》の葵の花、酒井抱一の《夏秋草図屏風》の秋草、鈴木其一の《群鶴図屏風》の鶴。くり返される個物の形象(または/そして色)はその位置関係を際立たせるが、同時にそれぞれの個物の個別性を弱めることもある。殊に個物の「イメージ」を抽象化し、一つの型(タイプ)に統一するときにそうである。その傾向に徹底すれば、画面は文様に近づき、さらにその配置を単純な幾何学的型に統一してくり返せば、装飾的文様に限りなく接近するだろう。けだし文様の特徴は、抽象的な——その程度は場合によって異なる——形象の「くり返し」だからである。典型的にはアラビアの唐草模様、さかのぼれば殷周銅器の表面の文様。琳派の絵画は、もちろん文様ではない。しかし、しばしば「装飾的」にみえることがあるのは、このことと関係があるのではなかろうか。

琳派の水墨画または一般に日本絵画史への貢献は、以上に尽きるのではない。宗達は墨の「たらしこみ」の技法を発明したといわれている。また宗達下絵・光悦書の歌巻は[10]、料紙の空白部分だけでなく、薄く描いた下絵の上にかな文字を散らす。かな文字には大小があり、墨の濃淡があり、線の肥痩があって、その位置と関係し、一種の「リズム」を生んで、ほとんど音楽の視覚化のように美しい。周知のように絵画と書との密接な関係は中国の文化の伝統である。それは絵画の空白部分の効用の一つであるが、下絵の上に重ねて文字を散らす工夫は、鷹ヶ峰の光悦工房の独創である。鷹ヶ峰において、文学と文字と絵画は、融合した。

分ち難い書画の密接な関係は中国から来た。しかしそれぞれの表現に対する嗜好や態度には日中間に対照的なちがいが生じた。どういうちがいが、なぜ生じたのか。そのことについては後に触れる。日本の絵師が倣った画題はおよそ中国の風に随《したが》う。宗教画(道釈)、肖像画(高官や英雄や高僧)、花鳥・龍虎など、殊に水墨の風景画(山水)は多い。狩野派はそのすべてを描いたが、そこに新たな題材を加えたとはいえない。技法と様式は、水墨(または「漢画」)を基本として、大和絵その他の伝統を利用した折衷主義である。しかし彼らは画面を拡張したという点では群を抜いていた。徳川幕府の御用絵師であった狩野派は、大名屋敷や大寺院の建築の内装をほとんど独占していたからである。彼らは屛風ばかりでなく、襖や扉にも描き、天井を極彩色で飾った。そういう大画面を水墨画で埋めつくした例は、中国でも少ないらしい。扇面から広間の天井まで大小の画面に、徳川時代の多数の流派がそれぞれの工夫をこらしていたのである。狩野派は画面の物理的な枠を拡大したが、その中に描かれた世界を拡大したのではなかった。琳派は利休が発明した小さな空間の美学を小画面に適用して限りなく洗錬した。そして浮世絵木版画を作った絵師たちは、絵画的空間の平面性を再発見すると同時に、画中の空間を一遍上人の全国巡礼の画家たちに呼応して東海道五十三次にまで拡大した。しかし誰も海を越えて大陸の風物を描くまでには到らなかった。《峨眉露頂図巻》の光景は、蕪村の想像力が描いたもので、彼の眼が見たものではない。相阿弥は「瀟湘八景」を見たのではなく、瀟湘八景を見た牧谿の絵を見たのである。《慧可断臂図》は雪舟晩年の傑作だろう。その前に雪舟は中国に遊んで水墨画を学んだが、天竺に旅して面壁のダルマに参じたわけではなかろう。そのことは彼らの芸術の評価に関わらない。[11] しかし彼らの住んだ空間がどういうものであったかを語る。その空間は日本列島の外の世界へ向って閉じていた。

主観主義への傾向

中国の伝統文化において書画の関係の密接なことはいうまでもない。書には大別して三つの機能がある。第一に読めば意を伝えること、第二に書家の内部の心的状態——性格や感情や気迫の表現、第三に装飾性、あるいは限られた小空間の秩序[12]。その三つの目標をきわめて簡単な道具と材料を用いて同時に達成する。水墨画の場合にも、書と同じ手段——毛筆と墨と紙または絹——を用いて、三つの目標を追求する。第一に写実、第二に画家の内心の表現、第三に画面の装飾性、この三つの機能ないし目標は、常に同じ程度に達成され、同じ強さで追求されるとはかぎらない。重点が三点のどこにおかれるかは、書においても、水墨画においても、時と場合によって異なる。しかし書と絵との並行関係はあきらかだろう。書の第一目標と絵の第一目標に共通しているのは、その双方が芸術家の内心に超越していることである。文字が読めるのは、書体の多様性にもかかわらず、その形に特定の規範があるからである。その規範は書家にとって与件であり、彼(または彼女)の気分とは全く関係がない。同様に猿の絵が猿に見えるのは、その表情や体格に一定の特徴があるからである。その特徴は画家にとっての動かせない与件であり、画家の内心とは関係がない。もし書家が規範を破れば文字は文字でなくなり、画家が猿の特徴を無視すれば猿の絵は猿の絵ではなくなるだろう。もちろん度胸をすえて、文字が読めなくても猿が猿に見えなくてもかまわぬ、という立場をとることもできる。現に「自己表現」(第二目標)に力点を置き、「抽象的表現主義」を追究した画家たちはそうした。しかしそれは宋元明の時代の中国でのことではなかった。

書と絵との間には、このような平行関係ばかりでなく、もっと直接的な関係もある。それは書において重視される「筆勢」、濃淡の墨をふくんだ毛筆の動き、それによって生じる多様な線に反映した書家＝画家の千変万化の心情――そこでは書の線と絵の線が融合して区別し難いものとなる。中国の画論に言う「意在筆先」――は書画の双方に通じる。一例を挙げれば、梁楷の《李白吟行図》(東京国立博物館)にみる白衣の輪郭の太い線である。

その水墨画――宋元の大家から明末清初の諸家(石濤《せきとう》、八大山人)まで――が、日本に伝えられて、どう変ったか、どう「日本化」したか。一言で言えば、中国の文化が書において規範を重んじ、絵において写実を貴んだのに対し、日本の文化は書においては破格を、絵においてはたとえ写実の犠牲においてでも「気韻生動」の筆勢を珍重した。『君台観左右帳記』(室町後期)によれば日本側が好んで輸入したのは、北宋画院系の中国での大家の作品よりも禅僧の南画である。すなわち牧谿であり、玉澗である。梁楷は画院から出たので、僧侶ではなかったが、例外的に破格の画家で、省筆に長じ、潑墨《はつぼく》を駆使して、山水を描いた。禅僧の墨跡にも破格のものが多く、その中には墨による抽象絵画のようにみえるものさえある。中国人は書家の書を貴び、墨跡をその上に置かなかったが、日本人が輸入した中国の書の筆頭は墨跡である。

このことは書画に共通する日本の芸術家たちの特定の傾向を実に鮮やかに示す。自己の外にある規範や現実の対象、つまるところ環境の存在と機能を観察し、再現し、理解することよりもはるかに強く、自己の内にある感情や意思の表現へ向う傾向。[13]その傾向を今かりに一種の主観主義とよぶとすれば、その主観主義こそは日本文化が含む根本的な原理の一つであって、芸術家の視線を外の世界ではなく自己の内部へ向わせる。もちろん芸術家の、殊に水墨画家の反応は、その現れの一つにすぎない。この主観主義は、たとえば徳川時代後半の倫理観にも影響する。さらには今日二一世紀初頭の日本社会の中にさえその痕跡をみるのである。それにしても、なぜ日本人の眼は外よりも内へ向うことが多いのか。なぜ徳川時代に石門心学が流行したのか。なぜ両大戦間に私小説が文壇を支配したのか。その理由は、おそらく当事者の居住空間が閉じていれば、表現の空間も閉じるからである。環境を変える希望がなければ、自己を変えるほかはない。見る対象が動かなければ、見方を変える工夫が日常化するだろう。

（1）　たとえば石井元章氏（『ヴェネツィアと日本』、ブリュッケ、東京、一九九九）は、エルネスト・シェノー（Ernest Chesneau）が一八六九年にパリで行った講演（"L'art japonais"）や、ヴィットリオ・ピーカ（Vittorio Pica）が一八九四年に刊行した著書（*L'arte dell' Extrême Oriente*）を挙げている。シェノーは日本美術の特徴として、「シンメトリーの欠如、様式、色彩」を指摘し、ピーカは「第一に優れた色彩感覚、第二に熟練した視覚的統合、第三にアシンメトリー指向」を列挙したという。両者の三点はほとんど同じ、どちらも「アシンメトリー指向」を含む。

（2）　蘭州からおよそ一一〇キロメートル、青城には、清代に造築された四合院様式の古民家が五〇軒以上現存する。私は見ていないが、馮進氏の紹介がある(「民間の文化遺産を訪ねて。甘粛省、楡中県の古鎮―青城」『人民中国』、二〇〇六年二月号、三四ページ)。馮進氏によれば、清代の青城は水運が盛んで、各地方の商人が往来し、集まってきたからである。

(3) 中国人の左右相称志向は、今も生きている。たとえば花びんのような置物、あるいは大皿のような装飾品を買うときに、中国人はしばしば二個をもとめて、居室の棚の左右に置く。同じ店で日本から来た旅行者は、みやげものとして気に入った品を一個買うのが普通である、という。ほんとうだろうかと私は知人の中国人の学者三人、中国をよく知る日本人二人に確かめたことがある。五人はただちに肯定した。今の北京は、四合院を破壊して、美的にはつまらぬコンクリート建築を建てているが、四合院を創り出した美的感覚がすべて失われたわけではない。

四合院の歴史は、どこまでさかのぼることができるだろうか。中国の建築明器の蒐集家茂木計一郎氏は、今日までに見た四合院の明器の最も古いものは、後漢までさかのぼるだろうと考えている(「中国建築明器」『目の眼』、No.349、二〇〇五年一〇月号)。もちろん後漢の四合院は現存しない。しかし様式の歴史はおそらく二千年を越える。

(4) 柿本人麻呂(生没年不明)は、宮廷歌人であったから、公的(儀式的)な歌を作るとともに私的な歌を作った。後者に妻の死に際しての有名な長歌二首とそれぞれに短歌二首がある(『日本古典文学大系4 万葉集(一)』、岩波書店、一九五七、一一四―一一九ページ)。その中から二行一組、対句に似た表現を示せば、次のようである。

渡る日の暮れ行くが如

照る月の雲隠る如

また、

昼はもうらさび暮し
夜はも息づき明し
嘆けどもせむすべ知らに
恋ふれども逢ふ因《よし》を無み

ここでは日と月、昼と夜のように、二行の間でそれぞれの単語が対応するばかりでなく、その配列の文法的順序も対応している。中国語の対句の影響はあきらかだろう。しかしそのような修辞法は長歌の小部分に限られ、詩法として規則化されることはなく、『万葉集』以後長歌が減少し、短歌が主流となるに従って日本語の詩の世界から消えて行った。

(5)　これはいわゆる「侘びの茶」の特徴である。「侘びの茶」は村田珠光(一五世紀)にはじまり、武野紹鷗(一六世紀)を介して、千利休(一六世紀)によって完成し、その弟子古田織部(一七世紀)に伝えられた、という。茶席について「侘び」の語の初出は紹鷗(『日本美術史事典』、平凡社、一九八七)。私も茶の美学について何度か書いたことがある。最近では『日本その心とかたち』(ジブリ学術ライブラリー、二〇〇五、所収、「手のひらのなかの宇宙」)で茶陶を論じた。ここでは茶の美学にこれ以上たち入らないことにする。

(6)　禅宗は一二世紀末から一三世紀初めにかけて明庵栄西(臨済宗)や希玄道元(曹洞宗)によって伝えられた。中国の禅は一種の宗教的神秘主義(悟り)を中心とするが、日本の武士社会の上層に浸透すると、独特の世俗的文化の担い手となった。禅文化にはおよそ三面がある。第一に、戦場の武士のための倫理、すなわち強い意志、速い決断、感情の抑制、そしておそらくは死の恐怖の克服。一七世紀以後、もはや戦わない武士官僚の「武士道」は主人への忠誠を強調するようになるが、一五・一六世紀の戦う武士たちに必要な自己訓練の手段を提供し、精神的支柱となったのは禅である。その時禅は倫理に「影響」したのではなく、世俗的規範になったのである。第二に、いわゆる「五山文学」の詩文、またその出版活動。今かりに応仁の乱を境として以前を前期、以後を後期とすれば、前期の詩に詩文が多く、直接に禅僧の哲学と修行に係わるものが多いが(義堂周信・絶海中津)、後期には次第に世俗的主題を扱う詩が増加する。五山文学の内容の世俗化傾向は明らかだろう。そして第三に造形美術。日本の禅僧たちは、喫茶の習慣と精進料理を輸入したばかりでなく、新たに発展した中国貿易を通じて、禅寺の建築様式、高僧の頂相や墨跡、水墨画とその技法を輸入した。やがて喫茶は「侘び」の美学を、頂相は肖像画の技法を、水墨画は独特の表現主義を生む。禅はそれ自身が世俗化する過程で文化に貢献したのである。

禅が革命的なのは、第一に、絶対視されている社会的約束を徹底的に相対化し、第二に、相対化された世界をそのまま受容するからである。第一段階にとどまれば反抗であって革命ではない。しかし第一段階がなければ、第二段階すなわち「もう一つの世界」は成立しない。

(7) 明治維新(一八六八年)後大日本帝国憲法公布(一八八九年)までのおよそ二〇年間は開国的傾向(「文明開化」)の時期、その後敗戦までは軍国主義的近代化と国粋主義の強まった時期である。敗戦(一九四五年)以後もおよそ一五年間は「平和と民主主義の時代」、その後は「逆コース」の強化、「富国強兵」の理想が再び台頭する時代である。対外的な、殊にアジアの隣国に対する日本の開閉循環の原則は、今日(二一世紀初)も生きている。そのことが何を意味するかは簡単でないが、少なくとも異文化の圧倒的な影響が及んでも、固有の伝統的規範や根本的な概念は容易に変らないということを、示唆するだろう。たとえば閉じた空間の概念である。

(8) 「文人画」の語は、中国では、文人の余技という意味を帯びる。宋朝に画院があり、そこでの職業的画家の仕事と対照するからであろう。また様式についても、北宋の画院の様式を「北画」とし、南宋の禅僧を含む文人の画風を「南画」とよぶことがある。しかるに徳川時代の日本に画院はなく――狩野派は画院ではない――、支配権力の中心が北から南へ移るということもなかった。「文人画」や「南画」という概念の定義は日本であいまいにならざるをえない。祇園南海や柳沢淇園はたしかに職業的画家ではなかった。彼らは第一義的には儒者や教養ある為政者(家老)であった。しかし彼らが導入した中国風の文人画・南画の様式を発展させたのは職業的画家であった(池大雅、与謝蕪村、浦上玉堂、田能村竹田、富岡鉄斎)。ここで便宜上用いる「文人画」の概念は、文人の余技を意味しない。

(9) 二〇世紀のヨーロッパ絵画に親しんだ読者ならば、牧谿の柿を机上のガラスびんに代えてモランディMorandi(一八九〇―一九六四)を思い出すだろう。《源氏物語絵巻》の平行する直線の組み合せによる画面分割は、モンドリアンMondrian(一八七二―一九四四)の四角形区画から遠くない。

(10) 《鶴下絵三十六歌仙和歌巻》(京都国立博物館)、《四季草花下絵和歌巻》(東京・畠山記念館)など。

(11) いつの時代のどこの国の場合でも同じ。モネーはルーアンのカテドラルを数十枚も描き、セザンヌはサント・ヴィクトワール山の油絵を何十枚も作った。芸術にとって決定的に重要なのは、そのカテドラルや山ではなく、モネーまたはセザンヌの眼である。ポール・クローデルが「眼が聴くL'œvil écoute」と言った眼、ブルーノ・タウトが「そこでは眼が考えるDa denkt das Auge」と言った眼である。

(12) 中国には古くから多くの画論があり、絵画の機能として「写生」と「気韻」を強調する。「写生」または「写実」の意味は説明を要しない。「気韻」はおよそここで言う第二の機能、すなわち内心の表現と重なる。「表現」をラテン語系の言葉では《ex-pression》と言う。ドイツ語では《Aus-druck》。どちらも「外へ押しだす」という意味である。内から外へ内心を押し出す。内心は眼には見えないから、表現とは内から外への運動であり、見えないものの視覚化である。

「写生」または「写実」の対象は、原則として眼に見える。眼に見える対象には実在するものと実在しないものとがある。対象が実在するときは、その「写生」または「写実」を「現実主義 réalisme」(形容詞は réaliste)とよばれることがある。対象が想像力や幻視や夢の産物で眼には見えても実在しない場合には、その絵を「超現実主義 sur-réalisme」とする。

サルヴァドール・ダリは机の端でアメのように曲って垂れ下がる時計の「イメージ」を夢の中で見たのかもしれない。それならば、あの有名な時計は眼に見えて実在しない対象であり、それを描いた画面は超現実的である。超現実主義をこのように理解すれば、それは二〇世紀の欧米にのみあらわれた現象ではない。多くの宗教画は超現実的である。たとえば「玉虫厨子」の《捨身飼虎図》(法隆寺)、鎌倉時代に多数作られた阿弥陀来迎図。それを実在の光景とみるか(写実主義)、想像の「イメージ」とみるかは(超現実主義)、見る人が仏を信じるか信じないかによる。

(13) 長谷川等伯は日本の水墨画家の中では写実の精巧さにかけて群を抜く。殊に《松林図屛風》(東京国立博物館)の松と流れこむ霧。牧谿は南宋末元初の禅僧＝画家。殊に雲霞の表現で日本の画家たちを魅惑したが(たとえば相阿弥)、中国では写実の妙手とみなされてはいなかった。その牧谿が樹の枝に遊ぶ猿の群れを描いた(大徳寺)。あきらかにそれに倣って等伯もまた「群猿図」を作った。両者を比較すると、猿の顔つきから毛なみまで、その動きから姿勢まで、あらゆる点について、観察の鋭さ、表現の正確さがくらべものにならない。写実においては、日本の代表的な写実家でさえも、必ずしも写実力によって聞こえたのではない中国の禅僧にはるかに及ばない。しかもこのちがいは容易に一般化できる。それは等伯にかぎらず、猿にかぎらない。日本の任意の画家を採って、その水墨の馬を見よ。素描の正確さはあきらかに中国の水準に及ばず、また一五世紀のイタリアの馬にも及ばない。例外はおそらく雪舟の風景、等伯の霧の松林、渡辺崋山の肖像画ではなかろうか。日本の絵画の伝統は、写実に弱いのである。そして破格の書の筆勢に強く、墨の表現主義の迫力に強い。それならばその背景と日本文化の根本的な特徴を推測するほかはないだろう。

第三章　行動様式

開閉する対外関係

日本列島とアジア大陸との交渉には盛衰があり、日本側は境界を開いたり、閉じたりした。日本史はその開閉のくり返しであったということには、先にも触れた。九世紀を境として、開いた奈良朝と閉じた平安朝。再び開いた鎌倉・室町時代と政治的に「鎖国」した江戸期。外圧による「開港」と明治初期の「文明開化」、それに続く反動としての「和魂洋才」。「大正デモクラシー」の一九二〇年代と「超国家主義」の三〇年代から四五年まで。敗戦直後数年間の外圧の下での「民主化」時代には反動的な「逆コース」が続いて、今日に及ぶ。開閉の時期は次第に短くなってきたが、開閉交替の型は根本的に変っていない。

開国の動機には、しばしば「外圧」があったが、もちろんそれだけではなかった。おそらくそれ以上に異文化、殊に基本的な技術の輸入・移植の必要があり、その自覚があったにちがいない。九世紀以前には文字や仏教を中国・朝鮮半島から輸入しなければならなかった。その必要を感じなくなった時に九世紀末の日本政府は遣唐使を廃止した。一九世紀中葉には欧米から「近代的」な法制度や軍事技術や資本主義を導入する必要があった。日露戦争の後早くもその必要を考えなくなると、大日本帝国は膨張主義へ向い、朝鮮半島を植民地化し、中国に権益をもとめ、遂に十五年戦争に及んだことはいうまでもない。要するに外国との文化的格差が大きい状況におかれると、開国して異文化を採り入れ(対古代中国)、次の時代に多かれ少なかれ鎖国して、採り入れた文化を消化しながら独創的な文化をつくり出す(平安時代、徳川時代)。国際的な力関係にかける極端な格差に対しては相手方を手本として追いつくことをめざし(対欧米)、その目標を少なくとも軍事力において短期間に果す(明治維新から日露戦争まで)。軍事力を経済力と読み代えれば、敗戦後六〇年の状況にもそのまま適用されるだろう。

一貫していたのは、日本列島の住民の、技術的および芸術的領域におけるおどろくべき能力であり、その能力が日本列島の限られた空間の内部で発揮され展開されたということである。外部での出来事には、内部の状況に直接係わるかぎりでのみ、注意するという傾向が著しい。開国の時期と鎖国の時期とは、たしかに交替したが、前者は短く、後者は長かった。平安時代後期はおよそ三〇〇年、徳川時代は二五〇年、日本国の視線は主として内向的で外部の国際社会へ向ってはいなかった。閉じた空間のなかで文化は成熟し、洗錬されたので、開国はそのための準備期間であったとみることもできるだろう。一方は手段、他方は目的である。明治以後には何がおこったか。初期二〇年ほどは「岩倉使節団」が象徴するように調査と学習の時代である。その役割ははるかに一〇世紀以上を隔てて古代日本の遣唐使のそれと呼応していた。「文明開化」のあらゆる領域に多くの選択肢があり、どの選択肢にも支持者があった。たとえば憲法草案だけでも、多くの種類があり、根本的に異なる価値観を示していた。その意味で「自由主義的」な良い時代。その後に来るのが「大日本帝国憲法」・「軍人勅諭」・「教育勅語」であり、あきらかな「近代日本」の選択した道である。「和魂洋才」のスローガンを掲げて、西洋の技術に道を開き(開国)、その思想的影響を制限する(鎖国)。境界開閉のこの微妙な装置は、敗戦と占領、冷戦と高度成長の後にも、根本的には変らなかった。[1]

このような心理的傾向(mentalité)の背景には、いうまでもなく、自然的条件もあった。いわゆる「島国根性」、境界の意識、内外の鋭い区別、所属集団への強い組みこまれ、異文化への弱い関心……。そういう特徴と海にかこまれた環境との関係は、場合によって異なり、一般化することはできないだろう。海には二面がある。第一には異文化接触——友好的には通商、非友好的には戦争による——の障害。たとえばコロンブス以前のアメリカ大陸の孤立はその結果であり、大陸の内部では多くの部族がそれぞれの文化を発達させていた。部族間の境界はしばしば高山で、相互の交流はほとんどなかった。[2]縄文時代の日本列島は、はるかに小さい空間で、はるかにアジア大陸に近かったが、海峡が大陸からの人間や文物の流入を妨げていたことはあきらかだろう。殊に日本列島への外部からの攻撃・占領は、二〇世紀まで遂におこらなかった。その意味で、日本の古代史はヨーロッパ人による発見以前のアメリカ史の縮図と言えないこともない。海は日本を守った。縄文時代から一九世紀の中葉に米国の艦隊が圧倒的な武力を背景に開港を迫るまで。しかし海だけが日本を守ったのではない。同じような地理的条件にあった英国の場合には、古代ローマ帝国が英仏海峡を越えて侵入したし、中世にはウィリアム征服王がイングランドの一部を占領した。たしかに近代ヨーロッパを征服したナポレオンもヒトラーも海峡を渡って英国に侵入することはできなかったが、その理由は狭い海峡の自然的条件よりも英国海軍の力によるだろう。長期間にわたって島国の独立を保証するのは、必ずしも侵略者にとって海が越えられない障害だからではない。現に一九世紀の大英帝国は全世界の海に君臨した。

第二に多民族・多言語・多文化の間の交流にとって海路は、陸路よりもはるかに大きな役割を演じたことがある。たとえば地中海。その沿岸諸国の文化を総括して「地中海文明」とよぶ習慣さえもある海のはたらきの第二面は、人および文物の移動にとって障害ではなく促進である。陸路の障害(山脈、沙漠、地域住民の抵抗など)の方が海路の困難(季節風、沿岸国の敵意など)よりも大きかったから、アレクサンドロス(前四世紀)も、マルコ・ポーロ(一三世紀後半)も、往路にはペルシャや中央アジアを経過する陸路をとり、帰りにはインド洋の沿岸部を含む海路によったのであろう。アジアでは、西洋諸国の大航海時代よりもはるかに早く、鄭和(一三七一年頃—一四三四年頃)の大艦隊がインド洋を越えてアフリカ東海岸と交易していた。およそ三〇年間に長征七回、その第一回には大船六二隻で二万人以上の兵員をはこんだという。海がそういう大がかりな移送を可能にしたのである。

平安時代以来日本列島とアジア大陸との関係は、鎖国六〇〇年開国六〇〇年である。平安時代の三世紀は事実上 de facto の、徳川時代の二世紀半は公式 de jure の鎖国と、その成立の事情は異なるが、海が鎖国の決定的要因であったとはいえない。日本の場合にも島国の条件が開国を必然的にした面もあるからである。対馬や沖縄では、人々の視線が内側に向くためには、彼らの居住空間があまりに小さかった。

日本の歴史には、海という境界の二面性が実に鮮やかに反映している。しかしどちらに重点があったか。鎖国傾向にか、開国傾向にか。そのどちらが、日本列島住民の集団的心理的傾向を強く特徴づけてきたか。歴史的にみれば、平安朝以後、徳川時代以前のおよそ四世紀間は、日本国の対外的態度が比較的開放的であった時期である。しかしその時期は内乱の頻発した時期と重なっていた。武士支配層は分裂し、武士団は相互に闘っていた。明貿易の利益にもかかわらず、禅宗(あるいはむしろ禅宗文化)への強い関心にもかかわらず、彼らの視線が主として国内の権力闘争の方へ向いていたことはいうまでもないだろう。しかも国内には内乱だけがあったのではない。仏教の僧侶たちは禅宗を大陸から輸入したばかりでなく、その哲学を洗錬し（道元）、戦乱を避けて漂泊しながら独特の仏教的抒情詩を作り（一休）、アミダ信仰を中心として純粋に日本製の仏教を個人化し、大衆化した（法然・親鸞）。舞台では能・狂言が発展しつつあった。その演劇としての様式に大陸演劇の直接の影響を見ることは少ない。題材をしばしば平安時代の宮廷文化にとるが、中国の古典文学にとることは稀である。京都の河原能の観客は将軍から奴婢にまで及んだらしい。文学もまた同じく、この時代に流行した大衆文学は連歌であり、『菟玖波《つくば》集』から『犬筑波集』までのあらゆる種類があり、内乱で城をかこんで退屈した兵士たちが連歌に興じたという話さえある。外国文学とは何ら直接の関係がない。中国の戦場で詩を作ったのは将軍たちで、兵士ではない。そして茶の湯における「侘び」の美学。要するに一三世紀から一六世紀末に及ぶ時代の文化は、禅宗寺院を媒介とする交流（元王朝の仏教弾圧による渡来僧の増加、禅宗寺院の建築様式、水墨画など）の一面をもちながら、大きくみれば大陸文化に対してむしろ閉じていたということになろう。平安時代の「鎖国」は半分開き、半分閉じて島国の孤立をそのまま保存した。さればこそ徳川時代の初めに西洋の帝国主義に対して再び国境を閉じることが可能になったのである。一九世紀の中葉に武力を背景にして開国を迫られるまで、日本の指導者と大衆は、少数の知識人を例外として、自国と欧米との技術的格差を知らず、鎖国政策を永遠に続けられるものと信じていた。人々は農業的島国の「平和」

な空間に慣れ、その内部に注意を集中し、その細部を磨き上げることができた。

共同体の開閉と集団主義

大多数の日本人は日常生活をどういう空間の中で営んで来たか。別の言葉でいえば、どういう集団に属し、その集団とどういう関係を維持して来たか。それは時代によって異なる。しかし所属集団に対する態度には一貫性も認められる。一貫する特徴の一つは、いわゆる集団指向性であり、個人の意見が集団の利益・目標・雰囲気(感情的傾斜)と矛盾するときには、原則として常に集団の主張を優先する態度である。個人は意見を変えるか、集団の外へ出るか、どちらかを選ばなければならない。そればかりでなく、集団の圧力はその成員個人の私的領域にまで及ぶ。たとえば結婚の相手の選択まで。日本の結婚式場には、今日なお、A家とB家との結婚式場という標示があって、結婚する当事者男女の名前が省かれている。

このような集団主義はどこから来たか。歴史的にみればおそらく稲の水田耕作を中心とする農業社会の長い伝統——そこで生みだされた習慣と価値の体系——に由来するだろう。明治維新は地租を改正したが、伝統的農村の構造と機能の大部分を変えなかった。いわゆる「近代化」の過程で工業化は進んだが、労働人口の半分以上は農業セクターに集中していた。伝統的農村の構造が根本的に変り、労働人口の圧倒的な部分が都会に集中するようになったのは、米軍占領下の土地改革と六〇年代の経済的膨張による。そこで若者たちは農村を去った。しかしかつての農村が創りだした価値観がすべて同時に失われたのではない。集団主義を支えた地域共同体はもはや大都会にはない。しかし集団主義は都会での職場に生きのびた——少なくとも大企業の終身雇用制が維持されていた二〇世紀末まで。労働力の都会集中に伴った農業社会の価値観と行動様式が、日本の経済的「成功」に寄与し、経済的「成功」がその価値観と行動様式の延命を保証した。これが敗戦後日本の集団主義の歴史である。その光栄と悲惨。自殺した社員の遺書にも言うように「私は死んでも会社は永遠」だった時代(3)。

農村共同体の典型的な特徴を、一つの「モデル」または「理念型」——それを今「ムラ」と書くことにする——を通して要約すれば、およそ次のようになるだろう。

伝統的なムラの境界は物理的に明瞭である。殊にたとえば山脈のムラの境は眼にみえて明らかである。平野では外来者に明らかな境のみえないこともあるが、住民は誰も熟知している。社会的には境の内側と外側の区別が鋭く、ムラ人相互の関係と、ムラ人の外側の人間に対する態度は峻別され、しばしば全く異なる原則に支配される(4)。たとえば交易において、ムラ人相手では等価交換、外人《ソトビト》相手ではその場での力関係による。

ムラ社会内部の構造は階層的で、上下構造である。地主、自作農、小作人から成るこの構造には、生産労働ばかりでなく結婚式や葬式においても、役割分担があり、階層間の上下関係を反映する。同一階層の中では、原則として一種の平等主義がある(たとえば「若者宿」)。

ムラ人個人とムラ集団との関係は、先にも触れたように、集団優先を原則とする。一般に地主・豪農は独裁者ではない。集団の決定は全会一致を原則とし、個人に異説があるときは説得し、成功しなければ「村八分」とする。ムラ人個人に集団が加える圧力は、当該個人の私生活の細部にまで及ぶ。それに対する個人の反応は、一般には、大勢順応主義(conformism)であり、例外的には、ムラからの脱出(自発的な「村八分」の先取り)である。このような集団主義の特徴は現代日本の中にさえも生きている。企業の決定過程への中堅社員の参加とその意味での平等主義、「リストラ」とよばれる「村八分」、そういう習慣を職場から国の全体にまで拡大すれば、「それでもお前は日本人か」ナショナリズムやおどろくべき付和雷同性があらわれるだろう。日常生活の空間は明瞭な境界をもち、境界の内外で対応の原則が異なる(「わが社」アイデンティティーから、「日の丸」強制まで)。

外部との関係には、二種類がある。第一、近い外部。隣村はその例である。同じ価値観と宗教的信仰を含めての伝統や慣習を共有する。近い外部との友好的な関係は、たとえば結婚である。非友好的な関係の典型は、水争い(水田耕作の水源)や森林の利用(主として燃料)である。第二、遠い外部。ムラとは根本的に異なる世界。ムラ人がそこへ向って旅することはない。ムラ人にとって境界は閉じている。しかしその遠い世界からムラを訪れる訪問者に対して境界は開く。訪問者には三種がある。第一種はムラ人よりも高い位置にある存在。折口信夫のいわゆる「マレビト」=カミ、中央政府の任命した地方官、遊行の上人など。第二種は農夫よりも下の人間。「乞食」や「すっぱ」(忍者、詐欺師、盗人など)。そして第三種は、ムラ人よりも上であり、同時に下である人々。彼らはしばしばムラ人にはない能力をもち、ムラ人が生涯に見たこともない高位の人たちの世界にも出入する。各種の芸人、連歌師、白拍手、巫女、遊女など。しかし彼らをムラ人は対等の人間とは決してみなさない。したがって結婚することもない。すなわち遠い外部からの訪問者は、ムラ人にとって自分たちよりも、上か、下か、上かつ下かであって、決して対等ではなかった。そのことは近代史における日本の対外関係をも想起させるだろう。外国は日本共同体からはるかに遠い外部の存在である。彼らは教師(上)であるか、敵(下)であるか、その双方(上かつ下)であった。日本国は中国とも米国とも、また他の外国とも真に対等の交流関係を経験したことがなかったし、周知のように今でもない。

日本人の生活空間の原型は、水田耕作のムラである。その境界は開閉する。閉鎖を持続させた主な要因は、労働集約的な農業であり、その効率であり、効率が要求する団結と内的秩序である。開門を推進したのは、外部の状況とその圧力、近代以後では採用した資本主義の論理である。そういう条件に対する日本人の反応は、もちろん集団主義だけではない。それは条件または前提を超える内的工夫であり、一種の主観主義である。それがどういうものであったか。

そのことには、第三部でも触れたいと思う。

(1)「和魂洋才」の「洋才」は元来欧米に発し一九世紀には西洋諸国が独占していた科学技術をいう。明治初期の日本は輸入を必要としていた。しかし二〇世紀殊にその後半には、欧米の領域外へ技術が拡散した。二一世紀初頭の今、先進技術は欧米の独占するものではない(日本・中国・インドなど)。交流は必要だが、一方的な輸入の時代は終り、「洋才」の語は標語としての意味を失ったと言えるだろう。

「和魂」は日本に固有の魂をさすが、その内容はあいまいである。それより早く本居宣長は「やまと心」と言い、それよりおそく二〇世紀殊に三〇年代の日本では「やまと魂」や「日本精神」が頻りに用いられた。宣長の「やまと心」の中心は「もののあはれ」で、三〇年代の「やまと魂」の典型的な表現は日本刀による「百人斬り」である。「心」と「魂」のどこがどうちがうのか明らかでない。いわんや両者の関係をや。そもそもこれほどあいまいな概念を操作して何らかの歴史的・社会的・心理的現実を理解することは、困難だろうと察せられる。しかも戦後六〇年、仏教も儒学も世俗的な価値の体系を支える影響力を失った。それでも今日の日本社会は「和魂」の内容を探している。日本列島の閉じられた文化的空間の中で。

(2) メキシコ・シティーの国立考古学博物館を私は三度一巡したことがある。そのたびに受けた強い印象は三つある。

第一、そこには現メキシコ領内の東西南北あらゆる地域から集められた彫刻があり、その全体が、様式上のおどろくべき多様性を具えていて、一つの独立した彫刻的世界を作っていること。独立の世界というのは、彫刻的造形の豊かな他の地域の知識から、その様式を容易に類推できないという意味である。その意味で、日本を含む東北アジアの仏像群は一つの独立した世界である。もちろんエジプト、ギリシャ、西欧のゴシックなども、それぞれ独立した世界である。いずれも作例が多く、現存する例も多い。その中の一つの世界を他の世界から類推することはできない。ローマの彫刻、多くの人物像は、ギリシャの範に従うから、独立の世界ではない。ギリシャを見た人は必ずしもローマを見るに及ばないが、メキシコを見なければ、人類の彫刻造形史の重要な一面を欠くのである。

第二、展示されている作品のなかで制作年代の明示されているものは必ずしも多くないこと。様式の多様性は、ある一つの様式の年代的な発展の結果ではなく——ギリシャ彫刻の場合(前六世紀—前二世紀)やゴシックの場合(一二世紀—一五世紀)、また日本の仏像の場合(七世紀—一三世紀)とはちがって——、おそらく地域的なちがいを示しているのだろう。現メキシコ領内で、地域が異なれば様式も著しくちがっていた。ということは、各地域間の境界が明らかで容易に越え難かったということを意味するにちがいない。

第三、越え難い境界とは何か。高山である。スペイン人が征服した一六世紀に、アステカ帝国の支配は太平洋岸から大西洋岸にまで及んでいたといわれる。しかしそれは例外で、多くの部族は山間の高原に住んで、石造建築を浮き彫りの神像で飾ったり、表情の豊かな人物像を「テラ・コッタ」で作っていたのだろう。彼らは山越えの移動はしなかったから、彫刻の様式はおのずから多様になった。

(3)　工業化に伴う人口の都会集中や農業社会の生んだ伝統的技術・習慣・価値の体系の消失は一般的な現象である。しかし農業的価値が先進的工業社会の中で積極的に機能しつづけた例は、きわめて少ない。その一つは敗戦後数十年の日本である。もう一つはおよそ同じ時期の米国の「南部」である。従って両者の比較は興味深い。一九七〇年代前半に米国の「東北部」で暮していたとき、そういうことを私は考え、日本で短い文章を書いたことがある(「南部の旅への誘い」『思想』一九七五年六月)。

(4)　社会学者きだみのる(一八九四—一九七五年)は、敗戦直後に小さな僻村に住んで『気違ひ部落周游紀行』(吾妻書房、一九四八)を書いた。いくらか誇張もあるだろうが、彼はムラ共同体の風俗・習慣を観察し、分析し、記録して、それを日本社会の原形と考えていた。『気違い部落から日本を見れば』(徳間書店、一九六七)、あまり根本的な違いはなかろうということだ。

第三部　「今＝ここ」の文化

第一章　部分と全体

日本文化の中で「時間」の典型的な表象は、一種の現在主義である。現在または「今」の出来事の意味は、それ自身で完結していて、その意味を汲み尽すのに過去または未来の出来事との関係を明示する必要がない。時間の流れには一定な方向があるが、始めもなく、終りもなく、歴史的な時間の流れは、特定の方向へ向う無限の直線に似る。その中での出来事の前後を語ることはできるが、それ以上に時間の全体を構造化して考えることはできない。鎌倉時代に流行した絵巻物の一場面は、全体の話のすじから切り離しても十分に愉しむことができる。徳川時代から近代にかけて書かれた途方もない数の随筆集は、相互に関連するところ少ない断片的文章から成るが、個別の文章を全体から切りはなして読んでも味わいが深い。それは『枕草子』以来『玉勝間』を通って今日に到る文学的伝統の一つである。そこには日本的時間の表象の著しい特徴が実に鮮やかに反映されている。

同じことは日常生活の習慣についてもいえる。日本文化の中では、原則として、過去は――

殊に不都合な過去は——、「水に流す」ことができる。同時に未来を思い患う必要はない。「明日は明日の風が吹く」。地震は起こるだろうし、バブル経済ははじけるだろう。明日がどうなろうと、建物の安全基準をごまかして今カネをもうけ、不良債権を積みあげて今商売を盛んにする。もし建物の危険がばれ、不良債権が回収できなくなれば、その時現在で、深く頭を下げ、「世間をお騒がせ」したことを、「誠心誠意」おわびする。要するに未来を考えずに現在の利益をめざして動き、失敗すれば水に流すか、少なくとも流そうと努力する。その努力の内容は、「誠心誠意」すなわち「心の問題」であり、行為が社会にどういう結果を及ぼしたか(結果責任)よりも、当事者がどういう意図をもって行動したか(意図の善悪)が話の中心になるだろう。文化的伝統は決して亡びてはいない。

始めなく終りない時間のもう一つの表象は、時計の針のように循環する時間である。そこでは出来事が一回限りではなく、何度でも起こる。冬来りなば春遠からじ。しかし無限直線の時間とともに循環する時間についても、本書では第一部で詳しく述べた。ここで注意する必要があるのは、出来事の一回性の否定は、必ずしも現在の出来事への注意の集中を弱めるのではなく、むしろ強めるように作用してきたということである。今年の冬が去年の冬と変らぬとすれば、今年の冬を知ることで同時に去年の冬を知ることができる。その方が記憶に頼るよりも正確だろう。同じような春がくり返されるならば、現在の春の観察は未来の春の予見に通じる。

循環する季節は、過去および未来のすべての季節の現代化を意味する。俳人の季語は、過去・現在・未来のすべての季節を示す。例は挙げるまでもないだろう。時間の「全体」は、現在＝今が無限に連らなる直線、または無限に循環する円周である。それぞれの現在＝今は、その全体の「部分」であり、相互に等価的であるとすれば、日本文化の伝統が強調する現在集中主義は、全体に対する部分重視傾向の一つの表現と解することもできる。そこでは全体を分割すると部分が成り立つのではなく、部分が集まると全体が結果する。

「空間」の全体は無限の広がりである。部分は「ここ」、すなわち「私の居る場所」である。その場所は、典型的にはムラ共同体であり、境界は明瞭で、境界の内と外の二つの空間がムラ人にとっての世界の全体を作る。ムラの領域は世界空間全体を分割した結果ではなく、ムラの集まりがクニを作り――クニが何を意味するかはさしあたりの問題ではない――、空間の全体はクニの外部の無限の広がりとして与えられたものである。私の住む場所＝「ここ」がまず存在し、その周辺に外側空間が広がる。外側空間の全体は、所属集団の内側と直接の取り引きをもつ特定の面(たとえば仏教や工芸)を除けば、強い関心の対象ではなかった。八世紀の初めに『古事記』を編んだ人々は、もちろん朝鮮半島の三国・唐・天竺の存在を知っていたにちがいない。しかし『古事記』の冒頭に掲げた創造神話は、日本列島の創造だけを語って、その外部の地域の創造には一行も触れていない。一八世紀後半オランダ製の世界地図が輸入された後になっても、『古事記』解読の代表的な学者本居宣長の世界観は、「神代記」のそれから根本的に異ならなかった。宣長の住んでいた所＝「ここ」が世界の中心で、その中心に係わる限りで周辺部(朝鮮半島や中国やオランダなど！)が存在する。まず世界の全体が成立し、その中に部分としての各国(たとえば日本！)が位置づけられるのではなかった。

個人の所属集団は必ずしも国家(日本)だけではない。徳川時代の武士層にとっては主として藩、自作農にとっては主としてムラ、大きな商家にとっては堺や大坂の町人社会であったろう。明治以後に発達した都会の中産階級は、彼らの「アイデンティティー」の根拠を所属官庁や大企業にもとめていた。それぞれにそれぞれの「ここ」で生き、働き、取り引きし、連帯し、競争していた。「ここ」は伸縮し、重層する。家族から国家まで、「ジェンダー」から世代まで、一人の人間は多くの異なる集団に属するが、それぞれの集団の領域を「ここ」として意識する。「ここ」から世界の全体を見るのであって、世界秩序の全体からその一部分＝日本＝「ここ」を見るのではない。その構造、すなわち部分が全体に先行するものの見方は、敗戦と占領後の二〇世紀後半に変ったろうか。例を日本国の対外的態度にとれば、根本的に変ったようにはみえない。

国際的な問題を解決するために、各国は自国に有利な解決策を主張する。そのための手段は、大きくみれば、三つあり得るだろう。第一の手段は、力ずくで自説を他国に強制することである。これは帝国主義的な態度である。必要とされる力は主として経済力や軍事力であり、これらの力のどちらかまたは双方が圧倒的でなければならない。それほど強大な力は、二〇世紀後半の日本国にはなかった。第二の手段は、自国の利益に直接係わる場合にのみ問題の領域に介入し、国益を強く執拗に主張する外交である。これは国際問題に対して日本国がとって来た典型的な態度である。たとえば米国との「貿易摩擦」、ロシア(旧ソ連)との「北方領土」交渉。第三の手段は、直接に国益を主張するのではなく、問題の領域全体について、複数の可能な解決法の中から国益に有利な方策(国際的秩序の一つ)を択んで提案することである。旧ソ連も、米国も、中国も、EUもしばしばそういう態度をとった。日本の対外的態度がなぜ第三手段よりも第二手段に著しく傾いたか。個別の場合にはそれぞれ複雑な条件がからんでいることは言うまでもないが、半世紀の歴史をふり返ってみれば、大きな背景は日本国の視線が国の外部よりも内部へ向っていたということに要約されるのではなかろうか。すなわち関心の中心は「ここ」=日本にあり、その日本を部分として含むところの世界=全体ではなかった。「ここ」文化の伝統は今も生きている。

かくして「ここ」の文化も、「今」の文化と同じように、部分と全体との関係に還元される。別の言葉で言えば、部分が全体に先行する心理的傾向の、時間における表現が現在主義であり、空間における表現が共同体集団主義である。部分と全体との関係において、「今」文化と「ここ」文化は出会い、融合し、一体化して、「今＝ここ」文化となる。夢幻能の舞台のように。空間を支配している。

夢幻能の舞台では、磨かれた木の床の上に何もない。ただ静まりかえった静寂だけがその空間を支配している。そこへ、静かな空気を引き裂くように、あの鋭い笛が響く。一瞬に起こり、一瞬に消える笛の音。その音には登場人物たちを揚げ幕の奥から、はるかに遠い過去から、舞台へ抽き出す力がある。舞台は忽ちかつての宮廷の庭や、壇ノ浦の戦場となる。主人公たちは思い出を語るのではなく、そこで、今、許されぬ恋にもだえ、舟上で長刀をふるうのである。彼らは舞う。舞いは一瞬の姿から他の姿へと移り、それぞれの姿が濃密な、決定的な、それぞれの時間の表現になるだろう。せまい空間の中での一瞬の経験はどこまでも深めることができるし、その表現はどこまでも洗錬することができる——ということを能舞台は示す。観客は歴史的興味からそこへ集まるのではなく、現代劇を、すなわち彼ら自身の劇を見るために集まるのである。彼ら自身の劇を見るとは、「今＝ここ」文化を自ら定義するということである。

第二章　脱出と超越

脱出願望について

共同体はその成員の安全を保証する。少なくとも外部からの脅威――旱魃や税吏など――に対し成員をまもるのをタテマエとする。と同時に成員個人の自由を極度に制限し、その圧力は日常生活のあらゆる局面、冠婚葬祭の細部にまで及ぶ。そのためにしばしば共同体の仕事の効率は高い。しかし成員個人にとってはほとんど堪えがたいほど窮屈である。

このような共同体＝集団の習慣が制度化され、厳密に組織されていたのは、殊に一七世紀後半から二〇世紀前半に及ぶおよそ三〇〇年間である。その前期二〇〇年は幕藩体制の下での農業社会、後期一〇〇年は天皇制官僚国家の下で急激な工業化過程にあった社会。そこで機能していた強力な共同体には大小がある。父系家族から農村や会社を通って日本国まで。いずれの共同体の境界も明瞭で、出入は困難であった。いずれの集団の統制力も厳格で、逸脱に対しては制裁手段を備えていた。その内部において誰もが満足していたのではなく、むしろ不満が蓄積されていたとしても不思議ではないだろう。潜在的な不満の爆発的な表現は、徳川時代に全国各地でくり返された「抜け参り」または「お蔭参り」とよばれる集団的伊勢参りである。老幼男女が家業を放棄し、やりかけの仕事を中断し、憑かれたように村落を通過する伊勢参りの群衆に加わる。一、二ヶ月の間に特定の関所を通過した参詣人の総数は、数百万人に及んだといわれる。直接的な背景となる著しい暴力や急性伝染病や飢餓の記録はないらしい。動機は、――というよりもむしろ主なきっかけは、伊勢神宮の御札《おふだ》が天から降ったという風評であったらしい。きっかけは時と場所によって異なることもある。しかし類似の集団ヒステリーがくり返されたことの背景には、日常生活の秩序と圧力からの解放を望む抑えられた願望があったと考えるほかはあるまい。その願望――日常性からの、共同体からの、到底実現されない脱出の願望――は、数百万人、通算すればおそらく数千万人の大衆に浸透していた。

脱出してどこへ行くのか。現在の共同体の秩序から離れたもう一つの秩序を、遠い未来に期待したのではない。御札の利益を望んだかもしれないが、その利益は今日の現実の中で働くはずで、はるかな明日の世界の話ではない。伊勢神宮は未来の理想社会のような目標ではない。またお蔭参りの人々が住む「ここ」から余り遠くはない。古代中国人の蓬莱《ほうらい》山や沖縄人のニライカナイやギリシャ人のシテール島(Cythère)のように、到達し難いほど遠い海の彼方にあるのではない。伊勢はアマテラスの聖地である。その聖地はわれわれの「今＝ここ」の外部にではなく、その境界の内部にある。「今＝ここ」の延長の最大の領域は日本国であり、日本国は世界であり、世界は伊勢の聖地を包みこむ。かくして聖地は他界ではない。しかも伊勢参りの熱狂が続くのは、長くて数ヶ月のことにすぎない。

熱狂が過ぎ去ればどこへ向うか。故郷のムラへ戻り、中断した家業を再びとり上げる他はないだろう。何事もなかったかのように。しかしムラの災害があまりに大きく、地主と税吏があまりに苛酷で、ムラ人の生存そのものが脅かされる場合には、どうすればよいか。カミのお蔭で脱出のできるお蔭参りは、あきらかに答えではない。税を徴集する側とされる側、支配する側とされる側との対立において、カミが働く人民の側に立つことはないからである。絶望的反応は、打ち壊しや一揆の暴力となる。一揆は幕末に急増した。幕藩体制は周知のように欧米の艦隊による「外圧」の下で、内側からはその経済的基盤を百姓一揆に掘り崩されて、遂に崩壊したのである。

脱出願望はすでに久しく民話や伝説の中にも生きていた。浦島伝説が日本では典型的だが、おそらく中国から伝えられた話では邯鄲夢の枕がよく知られている。前者は『万葉集』にも見え、後者には能曲『邯鄲』がある。いずれも他界に往来する話で、話の構造は酷似する。浦島伝説の主人公は、善良な若い漁夫。その日常的現実は、漁村。他界は龍宮城。両者を隔てる距離は大きい。時間的には、龍宮の時計は漁村の時計よりもはるかにおそく廻る。空間的には、海上はるかに遠く、亀の恩返しによってのみ到達できる。日常的現実の空間では格別の楽しみもなく、人々は静かに老いる。他界には憂いなく豪華な饗宴があり、人々は容易に老いることがない。しかし主人公が亀とともに漁村から出発したとき、彼の龍宮情報は限られていた。すべてを知ったのは、漁村に帰って玉手箱を開け、ムラの時間の流れの中に戻ってからである。出発の理由は、他界で得られる快楽や幸福ではなく、ムラから、即ち共同体からの、少なくとも一時の脱出であろう。

邯鄲伝説の主人公は、蜀の貧しい青年盧生《ろせい》である。旅の宿で貧困を歎くのが彼の現実。それを聞いた宿の主人または居合せた道士から枕をかりて昼寝をすると、忽ち夢を見た。その夢の中の世界が他界である。夢の世界の広がりは、邯鄲をその一部として含むところの中国の中心部である。現実の旗亭の一室との空間的差異はかぎりなく大きい。時差もまた著しく、夢の中の時計は、浦島伝説の場合とは逆に、現実の時計よりもはるかに早く進む。夢の他界での盧生は忽ち王となって中原を支配し、天下に号令して栄華を極めた一生を送る。しかし夢の中の一生は現実の世界で粟が煮える時間よりも短いのである。主人公の「今＝ここ」と他界との時空間的距離は常に大きく、それを浦島は亀の背に乗って越え——動物にはしばしば人間にない超自然的な能力がある——、盧生は夢によって一瞬のうちに越える。

このように共同体の境界を破り、障害を超え、大きな距離を克服して、他界へ移行するための手段は、多様である。しかし今はその詳細、殊に「夢」の役割には立ち入らない。ここでは移行の動機に他界への憧憬ばかりでなく、しばしばそれ以上に、脱出の願望が一貫していたことを指摘すれば足りる。浦島については先に触れた。盧生の場合はさらに明らかである。彼が貧困を歎かなければ、誰も「夢の枕」を貸与しなかったろうし、彼自身がどういう夢を見るか知らずに昼寝を試みもしなかったろう。これを仏教の用語で要約すれば、「欣求浄土」に先行する「厭離穢土」(源信)の一貫性である。

「今」からの脱出

「今＝ここ」の環境からの脱出には、二つの種類がある。時間軸に沿っての「今」からの脱出(T・脱出とよぶ)と、「ここ」からの脱出(S・脱出とよぶ)。民話にあらわれる他界の時間が共同体内部の時間と異なる速さで流れるとともに現実の日常的世界からも遠く離れたところに位置するのは、T・脱出とS・脱出の混合と見るか、未分化状態と考えることができるだろう。知識層ではT・脱出とS・脱出の願望が分れて、二つの異なる表現をとることが多い。

T・脱出の願望は、歴史的時間の未来へ向う場合と過去へ向う場合とがある。同じ場所で現在の社会的空間――その構造と文化――を越えて、未来に想像される理想的社会は理想郷 utopia である。utopia へ向って現状から脱出しようとする思想・運動・その反映(たとえば文学作品)などは、文芸復興期以後近代のヨーロッパとくらべても日本では甚だ少ない。理由は社会体制を根本的に改める可能性が小さかったからであろう。例外は明治維新前後である。そのときには政治小説や未来小説が輩出した。社会の変革が激しく広汎で、しかも流動的であり、人それぞれの期待感が大きかったからである(1)。また同じことは、一九四五年敗戦後の歴史学者たちの活動についても言えるだろう。未来への期待は大きく、したがって歴史の読みなおしは当然であった。しかし維新前後と同じように四五年直後も例外的な時期であった。

T・脱出の第二の方向は、遠い過去へ歴史をさかのぼる。その極限には失われた楽園、政治倫理的な理想郷、後代の堕落に汚されない平和と正義の社会が再び見出されるはずである。尭舜の古代中国、「神《かむ》ながらの道」の古代日本――前者は日本においても荻生徂徠が説き、後者は本居宣長が主張した。周知のように徂徠は幕府公認の朱子学と闘い、古典の朱子注を廃して古文辞学に拠り『論語徴』を作る。『論語徴』は古文献の博捜において際立つとともに創意にあふれ、徳川時代の儒学の代表的な傑作の一つである。徂徠は一八世紀日本の朱子学的世界、林家支配の学界、狭く閉じられた「今＝ここ」の時空間から知的に脱出した。もちろん厚い壁に窓を開けたのは徂徠だけではない。蘭学者たちもいたし、懐徳堂の革新的な町人学者たちもいた。しかし柳沢吉保に支持された徂徠と蘐園《けんえん》学派の影響は大きかった。

宣長は伊勢松坂の町医者、徂徠の古代中国語研究の方法――実証的言語学と文献学のそれ

——を古代日本語に適用して、前人未踏の『古事記伝』を書く。『古事記伝』は賀茂真淵をつぎ、儒仏の学を廃して宣長が主張した「国学」の学問的業績の中心である。宣長は学問の対象を真淵に受け、方法を徂徠に学んだにちがいない。しかしそれだけでは、あの激しい学僧や儒者に対する闘いを一生戦いつづけることができたろうか。彼自身の言葉によれば、儒仏の「から心」対「神代記」の「やまと心」。彼は「やまと心」を掲げて、『直毘霊《なおびのみたま》』の狂信主義や『馭戎慨言《からおさめのうれたみごと》』の煽動的デマゴギーにまで到った。その「やまと心」が『古事記』研究から生れたとは到底信じ難い。そうではなくてまず宣長の側に「やまと心」についての直観と確信があって、それが彼を『古事記』へ向わせたのであろう。『古事記』→「やまと心」ではなく、「やまと心」→『古事記』。彼はどこでその「やまと心」を見つけたか。文化の中心は京都と江戸で、京都は伊勢松坂から遠くなかったが、青年期に京に遊んで医を学んだ宣長は二度とそこに滞在することはなかった。ただ一回の短い旅は例外である。文化の中心は即ち儒学の中心に他ならなかった。江戸は遠く、例外的な短い期間を除いて、仕官が問題になったこともない。「から心」に毒された文化の中心からあらかじめ脱出して、宣長は毎日小児科医の仕事を続けていた。病児はひとりでは医者を訪ねない。彼の職業的日常は、「外来」でも「薬局」でも、松坂と近在の母親たちとの接触であったにちがいない。「やまと心」の真髄はそこにあった。彼らのものの考え方や感じ方、彼らの話す言葉や喜怒哀楽は、どれほど京都の「インテリゲンチャ」の、すなわち医者=儒者社会のそれとちがっていたか。そのちがいこそは宣長が後に「から心」と「やまと心」の対照として定式化し、歴史を『古事記』までさかのぼって、その源泉を尋ねようとしたものである。敢えて言えば、その「やまと心」こそは、はるか後に丸山眞男が日本思想史の執拗低音 basso ostinato として分析の対象としたものであり、私が日本文学史を貫く「土着世界観」として外来思想の挑発に対するその反意を叙述しようとしたものである。「から心」と「やまと心」の二項対立の背景は、京都対松坂、儒者対病児の母親たち、そして遂には人間性についての合理的理想主義(たとえば『孟子』)対文献学的実証主義(『紫文要領』から『古事記伝』まで)である。宣長における脱出願望は、激烈をきわめ、ほとんど戦闘的になった。

「ここ」からの脱出

S・脱出にも二種がある。第一は旅であり、脱出して他界に遊び、再び出発点に戻る。浦島は龍宮とその時間から故郷の漁村とその時間へ、盧生は夢の世界での一生から粟を煮る旅の宿へ。第二は亡命。自国から脱出して他国にとどまり、必ずしも出発した国へ戻るとはかぎらない。多くは政治的理由による。阿倍仲麻呂は遣唐使とともに留学生として唐に渡り、よく唐の社会に受け容れられて(李白や王維との親交、越南使節など)、生涯日本へは帰らなかった。少なくとも一時帰国の意思をもったが、技術的障害(渡洋航海の失敗など)があって実現しなかったとされる。その他に政治的理由などがあったかなかったかは明らかでない。要するにS・脱出は、戻る場合と戻らぬ場合とに大別される。代表的な抒情詩(和歌・俳句)についてみると、日本の場合には、中国や欧米の場合とくらべて、旅の歌ははるかに少ない。亡命に到っては、それが詩的表現をとること、きわめて稀である。そのことはただちに日本の詩人にとっては、その生活空間の境界が、またそれに応じて想像上の世界の境界が、著しく閉じていたということを意味するだろう。

中国の詩人たちは旅の途上の感慨や旅に出る知人との別れの歌を多くつくった。その影響は『万葉集』にも及んでいる。「羈旅《きりよ》」の部立に属する歌は少なくない。

家にあれば笥《け》に盛る飯を草枕旅にしあれば椎の葉に盛る　(有間皇子、巻二、挽歌)

これは死出の旅であり、旅のイメージが死生の問題と深く結びついていたことを示す。しかるに平安時代になると『古今集』では旅の歌が激減する。宮廷文化圏の境界が高く、強いてそれを越えようとする人が少なくなったからである。しかも境界の関所は平安京から遠くなかった(たとえば逢坂の関)。もちろん想像力はもっと遠くまで行くことができる。歌枕は実際に行ってみなくても遠い旅路を歌うための便利な装置であった。平安中期の歌人能因法師はあの有名な白河の関の名歌を作る。その伝統は長く続いて、室町時代の画家たちは好んで見たこともない瀟湘八景を描いた。水彩画の技法を駆使し、みずから現場に臨んで観察した風景を写実的に描いた最初の日本人画家は雪舟である。周到に用意した旅程の途上で、みずから観察し経験した対象を、実に美しい短詩形の裡《うち》に表現した最初の旅の詩人は芭蕉である。日本人が「自然を愛した」のではなくて、芭蕉が愛したのである。彼は自然の中へ旅した。たしかに若葉青葉や荒海や天の川を見、蟬の声を聞いた。「今＝ここ」で、二一世紀初の日本のどこで、新緑の村を訪ね、蟬しぐれを聞くのだろうか。

雪舟や芭蕉が偉大なのは、彼らが日本の「自然」を発見したからである。発見するためには京都や江戸の旅の、閉じた文化圏の枠を破ってそこから脱出する必要があった。しかし今では彼らの発見した「自然」そのものがなくなった。少なくともその大部分が失われた。日本国中を旅しても、それはもはや彼らの旅とは全く性質のちがうものである。彼らは旅に一時の安らぎと楽しみを見出したのではなく、自然とともに「この一すじの道」、すなわち新しい芸術の創造力を見つけたのである。国内旅行を国外旅行へ拡大しても、問題の解決されないだろうことはいうまでもない。

亡命という選択

日本人は亡命しなかった。鎖国の時代には外国へ向う留学生もほとんどなく、長崎へ来る外国人はあったが、長崎から外国への定期的な公認の出国者はなかった。明治以後には多数の留学生や視察団が欧米諸国へ送り出された。しかし彼らの中から現地にとどまって帰国しない者はほとんど出なかった。用件をすませると自国へ戻る旅行は亡命ではない。一九世紀に「開国」した日本は、外部からの政治的亡命者は公式に受け容れなかったばかりでなく、日本人の外国への亡命をも困難にした。一九三〇年代から四五年の敗戦まで、ナチス・ドイツとアジア侵略戦争の日本との対照的なちがいの一つは、日本では知識人の亡命がきわめて限られていたということである。同じ時期にドイツおよびオーストリアでは多数のユダヤ系知識人、学者や芸術家がナチスのユダヤ人みな殺し政策を逃れて外国へ亡命した。アインシュタインからトマス・マンまで、シェーンベルクからゲオルゲ・グロスまで、「フランクフルト学派」からフリッツ・ラングまで。亡命先は主として米国で、そのために北米の知的景観が変ったほどである。もちろん日本から脱出した政治的亡命者も全くなかったわけではない。かつて「大正デモクラシー」の指導者の一人であった大山郁夫(一八八〇―一九五七年)は戦時中米国に亡命していた(一九三二―四七年)。共産党の政治家野坂参三(一八九二―一九九三年)は戦時中ソ連・中国に亡命し(一九三一年)、敗戦後帰国した(一九四七年)。また左翼の演出家佐野碩《せき》(一九〇五―六六年)は三一年に日本を去り、モスクワ亡命、メイエルホルトの助手を経て、スターリン粛清後はメキシコに亡命(一九三五年)し、現地の演劇の興隆に尽くした。六〇年代の前半に、彼は彼自身の劇場をメキシコ・シティーに作り、そのこけら落しを数ヶ月後に控えて、「ここまで来るには四分の一世紀かかった」と呟いていた——誇りと無限の感慨をもって。そのときの彼はもはや日本からの亡命者ではなく、全くメキシコ社会の内部でその志を実現した演劇人であった。そのとき、まだ誰もいない劇場の舞台に立ってひとり語った彼の言葉が、いかに希望に満ち、いかに力強く輝いていたことか。数年が過ぎて私が再びメキシコを訪れた時、佐野碩はもはや居なかった。

日本人の亡命者は少なかった。その中でも異国の街で彼らの志を実現した亡命者はさらに少なかった。若い鷗外の念頭には、ベルリーンの夜に恋人とともにそこにとどまって、東京へは、すなわち陸軍省や文壇や森家一族のもとへは帰らない、夢のような未来の可能性が浮かんだこともあるにちがいない。しかしそれは夢にすぎなかった。荷風は父親の命令に従って帰国する前に、たとえ糧道を絶たれてもパリに残って野たれ死にするまで生きつづけるべきか、思い悩んだと書いている。たしかに思い悩んだにちがいないが、帰国すべきかすべきでないかの選択に迷ったのではない。もっと後になってヨーロッパに留学した木下杢太郎(太田正雄)はたまたまナポリに遊んで、留まるべきか留まざるべきかの選択に触れないではなかった。しかしそれは鷗外や荷風の場合以上に切迫したものではなかったろう。つまるところ彼らは留学生の枠の外へ出ることはなかった。しかしそれは彼らに脱出願望がなかったということではない。一九世紀末から二〇世紀初へかけての西欧社会を熟知していた彼らは、日本の「近代化」が「上すべり」(漱石)であり、その現状が「普請中」(鷗外)であることを十分に自覚していた。そのことから脱出を望まなかったはずはない。しかし同時に「近代化」を必然的現象とみなし、「上すべり」や「普請中」を必要悪と考えていたのである。

またたとえば油絵の画家たちはどうしたか。ほとんどすべての「洋画家」たちはパリへ向い、少なくとも数年を留学生として過した。黒田清輝から梅原龍三郎まで。何のために。一九世紀から二〇世紀前半まで世界の絵画の中心とみなされ、世界中の画家たちが集まっていた都で、最新の技法と様式を修得し、それを日本の画壇へもち帰るためにである。パリの画壇に挑戦し、生きのび、そこで展開しつつあった絵画史に参入し、貢献した日本の画家は、ただ一人の例外としての藤田嗣治(一八八六―一九六八年)を除けば、ほとんど誰もいない。モディリアーニやスーティンやシャガールは亡命して二〇年代にいわゆる「エコール・ドゥ・パリ」を作った。藤田は彼自身がパリで――日本ででではない――発明した技法と様式を駆使して、そこに加わった。それは芸術上の亡命である。その意味で藤田とならぶ亡命画家は、おそらく一七歳で渡米し、生涯をニューヨークで送った国吉康雄(一八八九―一九五三年)だけであろう。

例外をしばらく措き、日本の絵画と西洋の絵画を大きく比べてみれば、この一九世紀末から二〇世紀前半の状況は、一八世紀から一九世紀前半にかけての状況とまさに正反対である。鎖国の時代、日本の代表的な画家たちが一歩も国外へ出なかった時にも、彼らの仕事(主として木版画)の西洋への影響は大きかった。逆に開国の時代、いわゆる「近代日本」では、国際的評価の高さにおいて、徳川時代の木版画に匹敵する作品があらわれなかった。少なくとも絵画に関するかぎり、鎖国は文化の国際化を、開国は文化の地域的閉鎖性を、喚起したようにみえる。なぜだろうか。けだし芸術的創造性は、自国——あるいは故郷——の文化があたえる条件の特殊性を徹底的に追求した極限において、芸術の普遍性へ向ってつき抜ける(のり越える)運動によってのみ成立するものだからであろう。近代日本の場合にかぎらず、絵画の場合にかぎらない。その運動の方向は、科学技術の場合と逆である。『ダブリンの人々』から『ユリシーズ』へ。ジャズと黒人スピリチュアルから《ラプソディー・イン・ブルー》へ。メキシコの土着民族文化から「革命画家」の壁画まで。

亡命の第一段階は脱出である。しかし脱出が亡命を約束するとはかぎらない。個人が生れ育った自然的および文化的環境——一般に故郷、時と場合により自国——から脱出を願う理由は、多くの場合に、そこで個人の独立と自由が脅かされると感じるからである。たとえば就職の機会の制限、結婚や離婚への共同体の圧力、言論・表現の自由の欠如など。一方では共同体の内部に、成員の誰もが承認し、愛着さえもする独特の習慣や特殊な価値がある。他方では共同体の外部に、個人の独立と自由がはるかに広く認められている世界、すなわちより普遍的な価値が生きていると想像される社会がある。故郷の習慣の特殊性は、個人の安全とアイデンティティーを保証する。しかし個人から自由を奪う。異郷の価値観の普遍性は、個人の精神の自由を保証し、その人格の統合 integrity を可能にする。しかしそこで起こる出来事の予測可能性は小さく、危険は大きい。そのどちらを採るかは、「幸福」の選択の問題ではない。「幸福」をどう定義するにしても、双方に幸福な時があり、不幸な時があるだろう。しかしどちらの価値観を強調するかの選択は、個人にとって、しばしば必然的であろう。特殊主義か普遍主義か。その二律背反が極端な場合には、選ばざるをえない。たとえば十五年戦争当時の日本社会である。「国民精神総動員」は、価値観の権力による統一(の押しつけ)であり、特殊主義の徹底である。そこでは当然、少なくとも人口のかなりの部分に、脱出願望がおこったと想像される。

敗戦後、言論の自由が恢復された後、小説家正宗白鳥(一八七九―一九六二年)は晩年の代表的な長篇小説『日本脱出』(一九四九―五三年、未完)を書いた。戦時中の日本から、一組の男女が地球の外へ脱出するという空想的な話である。行き着いた先には鳥人国があったり、さらに進むと「闇」と称する獣の国があって、主人公たちもその野獣の姿に変身する。全体が途方もない空想的な筋立てで、「脱出」が著者自身の経験した願望を反映しているとしても、脱出後の鳥人国や獣人国が著者のどういう考えや理想または反理想を反映しているのか見当もつかない。少なくとも発表されたかぎりでのこの小説は、「脱出」を語って、「亡命」を語っていない。

脱出の願望は自由の欠如からおこる。願望の実現には多くの困難があり、戦時中の日本からの脱出とは、現実にはもちろん誰にとっても不可能に近かった。脱出が不可能ならば、亡命も不可能である。しかし近代日本の歴史を通して脱出が常に不可能だったわけではない。亡命する知識人や政治家が極度に少なかったことは、脱出の困難だけからは説明されないだろう。亡命が成り立つためには、当事者があらゆる地域的文化を超える理想を信じ、いかなる代償を払っても手に入れたいと願う普遍的価値に確信をもっていなければならない。その理想や価値が亡命先の土地でどの程度に実現しているかはその先の問題である。亡命すれば、故郷の魅力あるものすべてを捨てる。そのすべてよりも貴いものを異国に期待するときに、またそのときにのみ、人は亡命するのである。ドイツ語の詩人ハインリッヒ・ハイネは、共和主義と言論の自由をもとめて亡命し、後半生をフランス語で暮らした。失ったものは大きかったが、得たものはもっと大きかったのであろう。かつて両大戦間に日本式「自然主義」の代表的作家であった正宗白鳥の主人公たちに、ハイネの確信——たとえそれが幻想であったとしても——がなかったとすれば、彼らがどういう意味でも亡命を語るはずはなかった。

成員個人の行動と心情までをも強くそれ自身の中へ組みこむ共同体には、一種の悪循環が伴う。組みこみが強くなれば、個人の自由の制限も強くなる。その制限がある程度を越えれば、脱出の願望が生じる。脱出の実現を妨げるためには、境界の出入一般の自由をさらに制限しなければならない。その制限は当然脱出の願望を強めるだろう。これは悪循環である。亡命の願望に対し共同体がなし得ることの一つは、願望の根拠そのものを破壊することである。しかるに個人の願望の根拠は、前述のように共同体の特殊な価値を超える普遍的価値への「コミットメント」である。これに対し共同体は個別的で特殊な価値をもって普遍的価値に対抗するほかはない（「それでもお前は日本人か」）。その結果は、普遍的価値への確信を、少なくとも少数者において担保するか、多数者を大勢順応型の妥協へ導くか、である。近代日本の場合には、第二の結果が、ほとんど常に目立っていた。したがって亡命者は少ない。

時空間の超越

外部に対して閉鎖的な所属集団――典型的には徳川時代の武士家族・ムラ共同体・日本国など――の習慣や規則が、個人の集団への組みこみを強めると同時に、個人の自由や感情の動きを制限し、圧迫し、破壊する場合がある。そこでは集団の秩序と成員個人の欲求との間に緊張関係が成り立ち、緊張が高まれば集団からの脱出願望が生じるだろう。しかし願望は必ずしもその実現可能性を約束しない。実際に脱出するためには、少なくとも第一に境界を超えること、第二に行先の保証が必要である。しかるに境界出入の自由の欠如は集団の秩序の一部分であり、集団の秩序を変える可能性の――合法的にも非合法的にも――ほとんど認められないことが、脱出願望の動機そのものである。脱出を願ってもできない、のではなくて、脱出できないから脱出を願うのである。先方の情報、殊に日本国外の情報が極端に制限されていた幕藩体制の下では、たとえ「今＝ここ」の共同体から脱出しても、行く先で何が起こるかの見当はつけようがなかった(その伝統は明治維新前後から今に到るまで全く失われたわけではない)。

「ここ」での環境は変えることができない、脱出もほとんど不可能に近い、という条件の下では成員の圧倒的多数は共同体の内側に止まって動かない。彼らは現状にどう対応してきたか。飢えが迫れば、絶望的な反抗が暴力的な「一揆」となって爆発した。しかしそれは例外である。幕藩体制は武力で一揆を弾圧し、その指導者(と体制がみなした者)を処刑した。その後に窮乏が軽減されたこともあるし、されなかったこともある。

幕藩体制がもっとも安定していた一八世紀に、日本脱出さらには亡命を夢みて果さなかった知識人の中に、空想的な世界旅行記を書いた平賀源内のような人物も居た。彼の『風流志道軒伝』では主人公が仙人から羽扇を借り、その超自然的な作用で天地の間を自由に往来し、「諸国の人情」を視察する。「人情の至処は色欲を第一とす」るから、殊に見聞するのは色里の風俗である。(2) 日本国内を一巡した後には「外国」へ向い——羽扇は空中の飛翔ばかりでなく渡洋も可能にする——、大人国、小人国、その他怪物の住む国々を経て、清朝の後宮に到り、宮女のための「遊男」を経験する。ここでの「外国」の範囲は中国までで、著者は蘭学や物産を修め、有名な「エレキテル」を作っていたが、話は中国の先の外国に及んでいない。主人公の視察し経験する領域は色里を主とし、その描写も表面的、常識的なものにすぎない。色里の男女関係を逆転して、遊女の代りに「遊男」を置くのは、吉原のパロディーにはちがいないが、批判というほどの批判にはなっていない。いわんや政治的諷刺においておや。儒者に対する揶揄と読める箇所がなくもないが、それも風俗的な軽い皮肉という程度のことにすぎない。『風流志道軒伝』は『カンディード』ではなかった。現状の痛烈な批判でもなく、社会正義の未来の提示でもない。平賀源内はヴォルテールではなかった。それでも彼は一八世紀の日本社会の例外ではあった。彼はその小説の主人公のように日本国から「外国」へ脱出はしなかったが、正気とされる日本社会から狂気の世界へ脱出したのかもしれない。

共同体の内側に生きた人々は、何をしていたのだろうか。共同体の内部は、個人の心情・精神、これを併せて「心」とよぶとすれば、心からみて外部である。世界は私の心の「内界」と私をとりまく「外界」または環境から成る。環境は自然的なそれと社会的なそれを含み、後者は他者と他者が作りだしたすべてのもの、すなわち文化である。もちろん「内界」と「外界」とは、身体を媒介として、相互に、おそらく不断に、影響する。しかし一方が他方に還元されることはない。「外界」に起こることの大きな部分は、個人の内界（＝心・意識・感情と精神）の変化とは関係なく起こる。私が望もうと望むまいと、雨は降るときに降り、悪性腫瘍は襲うときに襲う。逆もまた真であることが多く、外界の同じ出来事に対し、心は必ずしも同じ反応を示さない。どういう反応をするかは、外界の変化によるよりも、私の心自身の決定によることがある。その意味で心と環境、心の内外の世界は、相互に超越的である。したがって環境を堪え難いと感じるとき、個人がとり得る態度には、二つがあるだろう。環境を変えるか、自分自身の心を変えるか。どちらの道を採るにしても、「今＝ここ」の状況を改善するためには、それぞれに固有な技術を必要とする。必要な技術を提供するのは、その社会と歴史に固有な、その時代の文化である。

一八世紀において典型的な日本文化は、脱出して別の環境を選ぶ可能性を封じ、幕藩体制の根本的な変革の可能性も閉ざしていた(安藤昌益の例外)。外界の構造は不変。したがってその文化は、第一に、外界と内界の直接に交わる所、身体的感覚的領域、すなわち外界の細部の表現の徹底的な洗錬へ向った。たとえば琳派、浮世絵木版画、一般に造形美術、さらに音楽、さらに衣裳や美食、芝居や色里などがその結果である。第二に、内界志向。要するに「気の持ちよう」における工夫。そこには内界と外界とのしばしば鋭い対立を解決するための実際的および理論的創意があらわれていた。大きくみれば、それには四つの型がある。

第一、町人社会における「義理人情住み分け」型。義理は支配層から押しつけられた価値体系であり、公的外界の秩序である。人情は全く私的な内界において町人文化が協調する価値であり、義理人情と公私と内外界は、境界の明らかな領域として平行し、重なる。境界を越え、公的領域(たとえば結婚)において、人情(恋愛)の欲求を通そうとすれば、社会は死を以て当事者を罰する。それが近松の浄瑠璃が語った心中物である。

第二、石門心学。一面ではいわゆる「士農工商」各層の社会的役割の差別をみとめながら、他面では彼らの社会的貢献度の平等を強調する。理論的には「心学」という語が示すように、禅の悟りに近い内面的境地の達成を、個人の生き方の目標とする、一種の折衷主義。それにもかかわらずではなく、おそらくそれ故に、創始者石田梅岩をついだ手島堵庵の時代から広汎な支持者を集めた。石田梅岩について私はかつて詳論したことがあるので[3]、ここではくり返さない。

第三、徂徠型。外界への秩序の理想像(「先王之道」)を絶対化し、内界をそこに吸収させようとする歴史哲学である。しかし古代中国社会の理想を一八世紀現在の日本社会につなげることには、容易に想像できるように、あまりに大きな障害がある。しかし弟子は多く、影響は儒者の間で大きかった。

第四、宣長型。徂徠型とは逆に、内心の感情と達成(「もののあはれ」、「神《かむ》ながらの道」)を強調し、そこに外的世界の全体を集中させようとした。ほとんど荒唐無稽である。しかし徂徠以上に宣長の弟子は多く、彼の国学ナショナリズムは全国に広がった。明治維新への国学の貢献も無視することはできない。貢献したのは、『古事記伝』の大学者としてよりも、『馭戎慨言』

のナショナリストとしての宣長であったろう。

心の外の世界では、すべての出来事が時空間の中でおこる。しかし心の内側でおこる想念は時空間に束縛されずにおこり得るし、またおこり得たという報告は、古来、無数にある。時空間を超越する条件は主として宗教的であり、その中でも人格的な絶対者・神を媒介する場合と、そうでない場合がある。人格的神を媒介しないで、時空間のみならずすべての二律背反(自他・生死・有不有)を超える神秘的経験の代表的な例は、禅の「悟り」であろう。「今＝ここ」を強調する日本文化も、究極的には「今即永遠」、「ここ即世界」の普遍的な工夫を必要とした。その必要が日本文化における禅の役割の背景であるだろう。しかし禅体験の内的理解は、この本の範囲を越える。

(1) 詳しくは栗田香子「幸田露伴と未来――『露団々』の時間的考察」(『文学』6-1、二〇〇五年、一―二月所収)にも読むことができる。
(2) 「風流志道軒伝」巻之一、『平賀源内全集　上』、名著刊行会、一九七〇。
(3) 「富永仲基・石田梅岩」『日本の名著』、中央公論社、一九八四。

あとがき

なぜ私はこの本を書いたか。

一九五〇年代前半に、私はパリで暮らしていた。そして西欧の文化の基礎的な部分が日本のそれとは対称的に異なるのを感じ、帰国してから日本の近代文化の生々しい「雑種性」を指摘するとともに、その積極的な意味を強調した。

一九六〇年代にはカナダの大学に職を得て、日本文学史を講じ、文学をとおして、日本精神史(または思想史)の本質的な特徴を見きわめようとした。その私なりの成果が『日本文学史序説』(筑摩書房)である。外来思想と土着思想を二つのベクトルと考え、外来思想の「日本化」をベクトル合成の結果とする。土着思想の基本には「此岸性」と「集団指向性」を考えた。

一九七〇—八〇年代にはしきりに職場を変えて、私は日本・中国・メキシコと北米および西欧各地に放浪した。放浪にはある程度の生活の不安定を伴ったが、愉しみはそれよりもはるかに大きかった。その愉しみの一つが、文化的環境がちがえば異なる時間や空間の概念を経験し、観察することができるということである。劇場が夕方六時にひらく街(たとえば東京)もあるが、芝居が九時半から始まるところ(たとえばヴェネツィア)もある。夜食の食堂もそれに応じ、風俗もしかるべくちがうはずだろう。山国の谷間の町(たとえばザルツブルク)はどの道を歩いても風情があり、散歩に適《ふさわ》しい。谷川に臨む喫茶店のテラスではモーツァルトの歌劇のうわさ話に岩に激する急流の水の音も混じる。しかし広大な草原の中の市街(北米の南部ならばオクラホマ・シティー、北部ならばエドモントンなど)を出れば、「郊外」などというものはない。一〇キロメートルや一〇〇キロメートル程度の距離を自動車で走っても風景は変わらない。遠い山脈も、バロックの教会の尖塔も見えない。これは散歩どころか自動車用でさえなく、ジェット機による移動専用の空間である。そこには何があるか。眺めるにはただ壮大な夕陽がある。私は、早く/遅く進む時間、一直線的に一方向へ向う有限/無限の時間、循環するまたは循環しない時間の、どの時間概念が日本文化を特徴づけているか、どういう時間の意識が日本的文化環境の中に生きているのか、次第に強い興味をもつようになった。

私は多くの国の、多くの大学で、日本文化における時間または空間の意識について講演した。そして成蹊大学では一学期をとおして時間と空間の意識と表現について講義した。その講義の草案がこの本の出発点となった。本書の第一部は、日本文化において典型的な時間は「今」に集約されるということを強調している。「現在」の出来事の意味は、『出エジプト記』に象徴されるユダヤ教的時間の場合とは異なり、過去または/そして未来の出来事との関係を無視しても十分に理解される。

本書の第二部は空間を論じる。伝統的な日本文化にとっての典型的な空間は、労働集約的な水田耕作のムラである。ムラ共同体の境界は明瞭で、必要に応じて開閉する。ムラ人の行動基準は他のムラ人に対する場合と非ムラ人(外人《ソトビト》)に対する場合とで大いにちがう。ムラ人はムラに従って暮らす。集団第一、個人第二。その逆ではない。共同体は個人の安全を保証するが、他方では個人の自由を極端に制限する。全会一致の決定を背景として定めた目標を達成するのに能率的であるが、目標を変更する必要が生じたとき、新たに目標を選定する過程では、しばしば無能力である。

このような「今＝ここ」強調の文化を眺めてみると、二つの問題が生じる。第一、時間における「今」の強調と、空間における「ここ」の強調は、偶然に併存してきたのか。もし偶然の併存でないとすれば、両者の間にどういう関係が考えられるか。第二、「今＝ここ」の時空間に個人が満足できない場合には、その時空間を超越するどういう装置が考えられるだろうか。本書の第三部は、そういう二つの問題に触れる。

第一問に対する答は、概念の抽象化の程度に係わる。抽象化を一段進めれば時間における現在主義は、分節化された時間の「全体」の「部分」である現在を強調するから、「時間的部分主義」と考えることもできるだろう。共同体の内部の小さな空間は外部の大きな空間の部分である。すなわち共同体＝ここ主義は「空間的部分主義」である。かくして「今」主義と「ここ」主義は、併存しているのではなく、全体を分割して部分へ向うよりも、部分を積み重ねて全体に到るという同じ現象の両面をあらわしているのである。

第二問に対する答は、時空間の超越装置である。それには物理的超越と精神的超越がある。前者は亡命において完成する「脱出」である。後者は宗教的な神秘主義的体験において徹底する経験であり、日本では禅において典型的である。文献はあまりに多いので、本書では後者の広大な領域には詳しく立ち入らなかった。

この本は日本の思想史について私の考えてきたことの要約である。ここまで来るのに、私は実に多くの方々から教えを受けた。そのすべての方々に、また日本思想史への関心を分有するすべての読者に、今あらためて感謝する。

二〇〇七年三月

上野毛にて

加藤周一

加藤周一

1919年東京生まれ．東京大学医学部卒業．文芸評論家・作家．1951年渡仏．1955年帰国．主な著書に『私にとっての20世紀』『羊の歌』(正・続，以上岩波書店)，『日本文学史序説』(上・下，筑摩書房)，『夕陽妄語』(朝日新聞社)，『加藤周一著作集』(全24巻，平凡社)，『加藤周一講演集』(全3巻)，『加藤周一対話集』(全5巻・別巻1)『「日本文学史序説」補講』(以上かもがわ出版)など．

日本文化における時間と空間

2007年3月27日　第1刷発行

著　者　加藤周一《かとうしゅういち》

発行者　山口昭男

発行所　株式会社　岩波書店
〒101-8002 東京都千代田区一ツ橋2-5-5
電話案内 03-5210-4000
http://www.iwanami.co.jp/

印刷・理想社　カバー・半七印刷　製本・松岳社

ISBN 978-4-00-024248-6　Printed in Japan